初学者のための質的研究26の教え

中嶌 洋

中京大学現代社会学部教授

医学書院

初学者のための質的研究26の教え

発　　行	2015年7月15日　第1版第1刷Ⓒ
	2024年2月1日　第1版第9刷

著　者　中嶋　洋
　　　　なかしま　ひろし

発行者　株式会社　医学書院
　　　　代表取締役　金原　俊
　　　　〒113-8719　東京都文京区本郷1-28-23
　　　　電話　03-3817-5600（社内案内）

印刷・製本　アイワード

本書の複製権・翻訳権・上映権・譲渡権・貸与権・公衆送信権（送信可能化権を含む）は株式会社医学書院が保有します．

ISBN978-4-260-02405-1

本書を無断で複製する行為（複写，スキャン，デジタルデータ化など）は，「私的使用のための複製」など著作権法上の限られた例外を除き禁じられています．大学，病院，診療所，企業などにおいて，業務上使用する目的（診療，研究活動を含む）で上記の行為を行うことは，その使用範囲が内部的であっても，私的使用には該当せず，違法です．また私的使用に該当する場合であっても，代行業者等の第三者に依頼して上記の行為を行うことは違法となります．

JCOPY 〈出版者著作権管理機構　委託出版物〉
本書の無断複製は著作権法上での例外を除き禁じられています．複製される場合は，そのつど事前に，出版者著作権管理機構（電話 03-5244-5088，FAX 03-5244-5089，info@jcopy.or.jp）の許諾を得てください．

まえがき

　研究とは何だろうか。大学，大学院，専門学校，医療現場などで学ぶあなたにとって，「学ぶ意義」とは一体何だろうか。卒業・修了をめざし，幾度かの定期試験に臨み，順調に単位取得しているあなたにとって，進むべき道はどのように見えているだろうか。そして，あなたにはどのような専門性が身についたと実感できているだろうか。

　学生の質の低下が叫ばれる昨今だが，裏を返せば，教員の資質向上や教材の創意工夫が喫緊課題となっていることを示している。どの学生も自身のビジョンをもち，その基礎固めとして，自己の学びの成果を明確にし，主張を展開していく術を身につけることが重要である。

　本書では，質的研究に興味を抱く初学者をはじめとして，各々の専門領域における学習成果をゼミ論文，卒業論文，修士論文，査読つき論文などにまとめようとする学生およびその指導者を読者対象と想定している。とりわけ，面接調査やインタビューなどを行う質的研究に特化し，人との直接的な関わりを介し，個々の専門性を明確にする支援をし，研究成果を通して社会参加への意欲や職業意識を高めることをめざす。

　本書は，個々の不得手な箇所を補強する素材として，あるいはとことん自身の研究を深化させるための手引きとして，どの項目から読んでもらっても活用できる。

　質的研究とは，まず，自己の興味・関心から出発すること，次いで，他との徹底的な比較・検討から新たに気づくこと，そして，今まで知らなかったあなた自身の世界観を拓くことである。その第一歩として，実際にフィールドやインタビュー対象者の元へ出かけて，勇気をもって，あなたの言葉で問いかけ，直接的関わりを始めてほしい。

　本書をきっかけに，各学問分野で，質的研究が深化し，直接的関わりという姿勢が実践に生かせる多くの人材が育つことを願っている。

2015 年 7 月

中嶌　洋

CONTENTS

まえがき iii

Step 1 質的研究を行うための基礎固め　1

1 研究とは「問う」こと 2
2 一次資料と二次資料 8
3 質的調査(定性的調査)と量的調査(定量的調査) 14
4 文献検索・文献検討 18
5 先行研究分析 22
6 倫理的配慮 26

Step 2 データ収集の方法　31

7 研究参加者選び(サンプリング) 32
8 インタビュー調査の種類と手順 36
9 効果的なインタビューのための質問 42
10 インタビューの種類 46
11 観察法 50
12 エスノグラフィック・インタビュー 53
13 ナラティヴ・インタビュー 56
14 フォーカス・グループ・インタビュー 60

Step 3　データの分析方法　65

- 15　信頼性と妥当性　66
- 16　トライアンギュレーション　70
- 17　グラウンデッド・セオリー・アプローチ　75
- 18　エスノグラフィー　81
- 19　KJ法　84
- 20　絶えざる比較法　88
- 21　KH Coder による分析　90
  - COLUMN　KH Coder による分析の実際　92

Step 4　質的研究の論文執筆と発表　97

- 22　論文執筆　98
- 23　厚い記述　102
- 24　研究論文の進め方　106
- 25　査読をクリアするための秘訣　110
- 26　プレゼンテーションの留意点と秘訣　116

あとがき　121
索引　122

イラスト　　　永江 艶の
本文デザイン　hotz design inc.

Step 1 質的研究を行うための基礎固め

1 研究とは「問う」こと

2 一次資料と二次資料

3 質的調査(定性的調査)と量的調査(定量的調査)

4 文献検索・文献検討

5 先行研究分析

6 倫理的配慮

研究とは「問う」こと

 質的研究に向けて

　「研究」と聞くと，「難しそう」「自分には縁がない」などと身構えてしまう人は多いのではないか。研究とは何か。研究と勉強との違いは何か。研究とは，研究者の独自の興味・関心にもとづき，ある現象の実態や機序を明らかにするために，さまざまな手法を用いてアプローチする知的行為のすべてをさす。

　研究は，理論構築やモデル化をめざす「理論研究」と，ある事柄から知識の獲得をめざす「実証研究」に大別できる。さらに，理論研究には，仮説構築型，仮説検証型，実証研究には，実態解

表1-1 理論研究と実証研究

理論研究	仮説構築型	仮説が立てられていない段階において，先行研究やレビュー論文を読み進めながら，着眼点を絞り，自分自身が研究上で検証しようとする論点や論理展開を考えながら，仮説を立て，検証する
	仮説検証型	あるテーマについてすでに仮説が立てられている段階において，その仮説の真偽を両面から確かめ，多角的にとらえた結果として，当初打ち立てた仮説が妥当であったか否かを検証する
実証研究	実態解明型	確たる理論や方法論が確立されていないなかで，文献レビューやインタビューなどを進めながら，ある出来事の実態を浮き彫りにする
	実態検証型	ある事柄の実態がある程度明らかになっている状況で，そのとらえ方が正しいか，実態把握に漏れはないか，他のとらえ方はないかなどを検証する

図1-1 学術研究の位置づけの例

研究

理論研究（分野）
- 自然科学：物理学，生物学 など
- 社会科学：経営学，心理学，社会学，社会福祉学 など
- 健康科学：医学，薬学，看護学 など
- 形式科学：数学，統計学 など
- 人文科学：言語学，歴史学 など

実証研究（方法論）
- 質的研究
- 量的研究
- 歴史研究

明型，実態検証型などがあり，表1-1のように分類できる。本書で取り上げる質的研究は実証研究の実態解明型にあたる。

　理論研究とは，ある現象の記述・説明・予測が可能であるという条件を満たすものであり，それらは分野や領域で様相が異なる。たとえば，自然科学のように自然界の現象を数値でとらえるものもあれば，社会科学のように人々の関係性からとらえようとするものもある。さらに，人文科学のように言語や時間軸を用いながら説明するものもある。

　一方，実証研究には，質的研究，量的研究，歴史研究などが該当する。質的研究とは，文章や文字などの質的データの分析から，ある出来事を解明しようとするものであり，量的研究とは数値や数式を用いて計量的に現象をとらえ，説明しようとするものである。歴史研究とは過去の出来事に対し，時期で区分しながら歴史的事実に迫ろうとするものであり，その時代の社会動向や人々の考え方・生き方などからも影響を受けながら，歴史的事実がどのように展開してきているのかを把握することである 図1-1。

いずれにしても，研究はデータや結果の裏づけにより，主義・主張を展開していくものである。これらの研究の場では，研究者の主観や感情は排除される。

研究は過程そのもの

「研究」とは，問題意識や目的にもとづいた研究テーマについて，「問う」行為であり，それに対する答えを導くための過程全体をさす。当然ながら，研究には制約や限界があり，全容を解明することは至難の業である。研究とは，少なくとも当初に打ち立てた「問い」に対する何らかの答えを導き出すものであり，「問い」の示唆を得ようとする行為である。この「問う」行為がなければ研究は成り立たない。

とりわけ，本書が取り上げる質的研究とは，数値やある事実の一部を切り取り提示するのではなく，聞き取りデータなどの質的データを根拠とし，さまざまな分析手法や分析視点をもちながら，聞き取り内容の内側に深く入り込んでいき，その真意に限りなく近づこうとするものである。

上記を踏まえると，自分の知りたいことを納得するまで追究するだけの作業は，「勉強」と位置づけられ，「研究」とは異なる。確かに，わからなかった事柄を理解したり，知りたかった情報を思いがけず入手するなど，ある程度の満足感や充足感がもたらされるかもしれないが，"何のために""何を目的として"といった問題意識のない行為は，知識の獲得に過ぎない。

質的研究の始まり

　質的研究全体の一般的な流れは，①研究テーマの設定から始まり，②研究の準備，③インタビュー調査，④データ分析，⑤まとめへと展開する 図1-2 。しかし，必ずしも同一パターンの形式張ったアプローチ法をとる必要はないので，各自で創意工夫してほしい。

　実践的な質的研究では，研究テーマの設定が最も重要である。各自の生活歴，体験，問題意識，興味・関心にもとづき，さまざまなテーマを掲げることができる。ただし，自分が興味を抱いたというだけのテーマや，まだ他の研究者が着手していない独自のテーマであるからといって，すべてがよい研究テーマとなるわけではないことを知っておきたい。表1-2 を手掛かりに，よい研究テーマを定めよう。

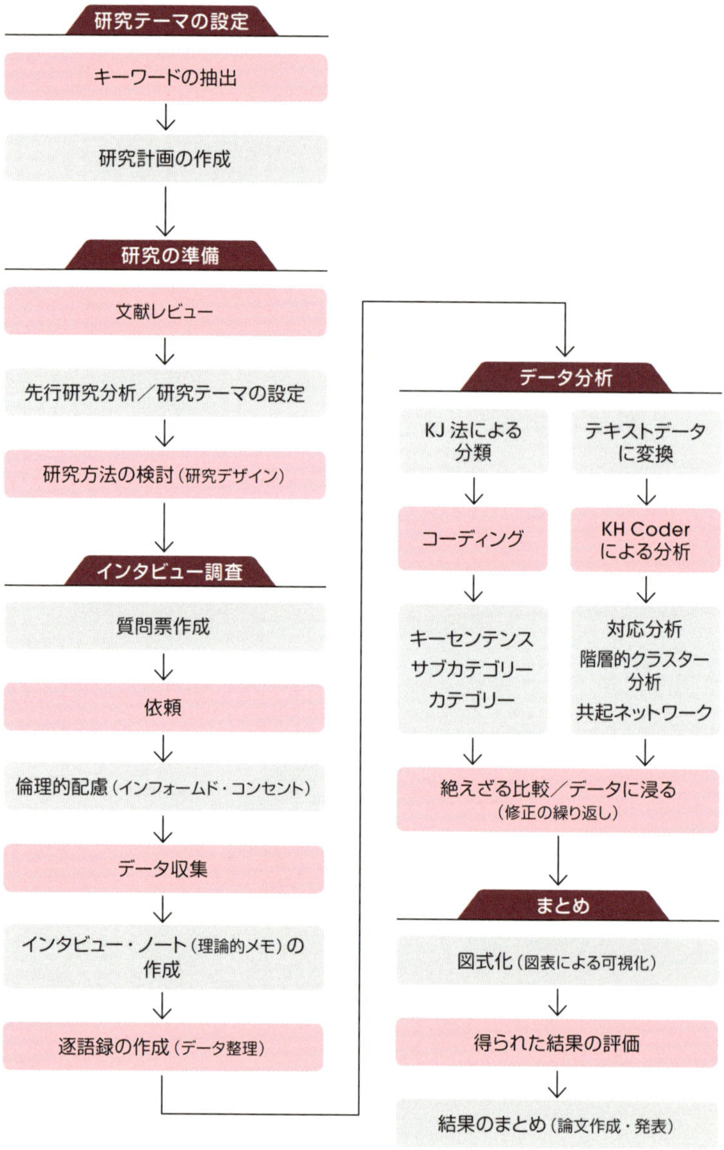
研究テーマの設定
キーワードの抽出
研究計画の作成
研究の準備
文献レビュー
先行研究分析／研究テーマの設定
研究方法の検討（研究デザイン）
インタビュー調査
質問票作成
依頼
倫理的配慮（インフォームド・コンセント）
データ収集
インタビュー・ノート（理論的メモ）の作成
逐語録の作成（データ整理）
データ分析
KJ 法による分類
テキストデータに変換
コーディング
KH Coderによる分析
キーセンテンス
サブカテゴリー
カテゴリー
対応分析
階層的クラスター分析
共起ネットワーク
絶えざる比較／データに浸る
（修正の繰り返し）
まとめ
図式化（図表による可視化）
得られた結果の評価
結果のまとめ（論文作成・発表）

図1-2 質的研究の流れ

表1-2 研究テーマ例

	よい研究テーマ	悪い研究テーマ
例	・ヤングケアラー*への医療看護専門職の認識 ・介護職の小規模ケア下における施設職員の連携 ・地方都市の訪問看護サービスにおける苦情の構造 ・医療の高度化に伴う看護師の倫理規定の変容 ・看護師の終末期医療における時間認識	・看護師における社会的意義 ・看護師と患者との相関性 ・地域活性化と看護 ・医師と看護師との連携による効果 ・看護師のチームワークの意義 ・職業ストレスが看護師に与える影響 ・医師が看護師に求める役割
特徴	・キーワードが含まれている ・独自性がある ・問題意識・目的が明確である ・対象・時期が区分けされている ・地域・場面が限定されている ・解明することが可能である ・内容全体を示している	・テーマや論点が漠然としている ・問題意識・目的が明確でない ・研究範囲が明確でない ・解明することが難しい ・すでに明らかにされている

＊親や祖父母の介護をしている18歳未満の子どものことをさし，英国では学業への影響や精神的な負担が問題視されている。近年，日本でも認識されつつある存在である。

一次資料と二次資料

研究における資料

　適切な研究テーマ・研究課題が設定できたならば，次にそのテーマや課題に関連する資料をどのように収集するかを考えなければならない。

資料を見分ける

　資料は，一次資料と二次資料に分けられる 表1-3 。一次資料は「原典」ともいい，それ自体で完結したオリジナル，あるいは生（raw）データのことであり，歴史研究や質的研究に利用できる。一次資料を丁寧に読み込むことで，新たな発見や先行研究の誤りを指摘できることもある。

表1-3　一次資料と二次資料

一次資料	二次資料
・それ自体で完結したオリジナルの資料，生（raw）のデータ ・ある事項に関する資料のうち，独自性がある基本の資料，原典，元の文献そのもの 例 内部記録文書，議事録，新聞記事（当事者の語りなど含む），機密文書，日記（私的文書），歴史資料，オリジナルの調査の結果報告，インタビュー調査の結果報告	・一次資料を解説した資料，一次資料を編集・加工した資料 ・一次資料を素材として編集・加工した資料，一次資料を検索するために用いられる書誌（目録，索引，抄録） 例 学術書，一般的刊行物（書籍，論文，辞書・辞典，白書），一般的資料（新聞，雑誌，調査報告書），統計資料，翻訳書，インターネット記事

二次資料とは，一次資料を加工・編集した資料，あるいは，一次資料を検索するために用いられる書誌，目録，索引，抄録などのことをさし，比較的入手が容易である。

　たとえば，図書館や歴史資料館が所蔵する資料のうち，ある人物の直筆による記録文書や遺品が一次資料であり，それらを分析し記した書籍・論文は二次資料となる。あるいは図書館では，通常，一般書籍・論文を一次資料といい，どの書籍にどのような内容が記されているかを示すもの（書誌，索引，文献目録）を二次資料という場合がある。いずれにせよ，オリジナルの資料を一次資料，編集物を二次資料とする。

　本来，研究とは一次資料をもとに進めるのが望ましい。とくに難易度が高いとされる査読論文の審査においては，一次資料を用いることが評価に大きく影響するといっても過言ではない。

　しかし，一次資料の発掘・入手は極めて困難であり，膨大な時間・費用・労力を費やさなければならないことも事実である。図書館資料でたとえるなら，1，2度足を運んだだけでは，まず入手は難しく，徒労に終わることも覚悟しなければならない。つまり，相当の根気と覚悟が求められる。

資料の選び方

では、一次資料と二次資料をどのように使用すればよいのか。研究論文の種類別に必要な資料の判断基準を 表1-4 に示す。

さまざまな制約があり、なおかつ論文作成のために十分な時間を割くことが難しいと考えられる「ゼミ論文」や「卒業論文」においては、必ずしも一次資料にこだわり過ぎず、一次資料と二次資料をうまく併用し、まとめることが重要である。修士論文の場合もほぼ同様であるが、可能な限りフィールドに赴き、生データを収集することが望まれる。

さらに、博士論文などのより高い専門性や学術性を求められる研究では、単に一次資料を活用するだけでは十分とはいえず、特定の分野に重要な示唆を与えるような情報・資料の発見・発掘という成果が求められる。ある分野、あるいはあるテーマにおいて、これまで解明されてこなかった新たな知見を明示し、今日的

表1-4 活用できる資料：論文の種類別

	二次資料	一次・二次資料	一次資料	資料発掘（学術的発見）
課題レポート	○	△	×	×
ゼミ論文	○	△	×	×
卒業論文	○	○	△	×
修士論文	○	○	△	×
博士論文	○	○	○	○
査読論文	○	○	△	△

○：必要不可欠　△：活用が望まれる　×：活用を求められない

意義を述べる必要がある。このことは査読論文についてもいえることであるが，投稿規程に則りながら，いかに端的かつ論理的に記述できるかが重要である。

資料の活用方法

　初学者の研究の場合，まず，使用する資料が一次資料なのか二次資料なのかを見極めることから始まる。そのうえで，入手しやすい二次資料を収集し，十分に読み込み，何が研究テーマとしてふさわしいのかを検討することが求められる。

　次いで，二次資料を手掛かりに一次資料へと果敢にアプローチしてほしい。一次資料および二次資料を活用しながら，いかにして研究成果をあげればよいかを 図1-3 に示す。

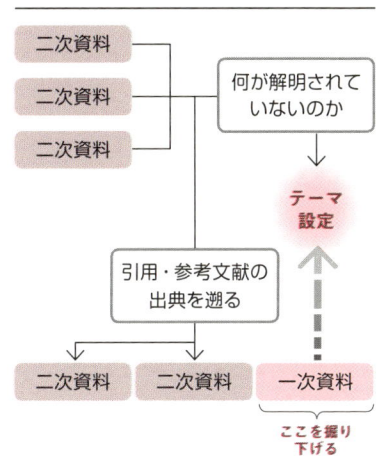

図1-3　資料の使い方

🖊 一次資料

　一次資料を掘り下げるには，まず 図1-3 に示したとおり，一次資料のなかから，十分に解明されていないが重要である論点，新たな発見や展開が期待できそうな視点などに着目し，詳細な情報や関連事項を探索・収集することである。ある要点が導き出されれば，そのなかからさらに要点を絞り込み，各々の研究目的や研究課題に照らし合わせながら，必要な情報を収集・分析していく。こうした実践の積み重ねが，一つの単元やテーマをある程度明らかにするだろう。

　たとえば，わが国の近代看護史について調べてみると，19世紀末には看護教育にナイチンゲール方式がいち早く取り入れられ，系統的な看護教育が開始された。しかし，当時の軍国主義やドイツ医学を中心とする考え方，伝染病の流行などの社会情勢によりナイチンゲール方式による高水準の教育は次第に衰微し，医師主導によって看護の重要性や独立性が失われた教育となり，質より量を満たすことが主流となっていったことがわかる。

　そこで「当時の看護教育として，実際にどのようなことが行われていたのか」に着目し，国立国会図書館や公共図書館などで，当時の看護婦によって著された資料を調べる。

　ナイチンゲール方式で教育を受けた初代のトレインド・ナース（trained nurse）の一人であり，大関派出看護婦会を創設した大関和の著書『実地看護法』(1908) を精査すると，そのような時代であるからこそ，大関は看護の質の向上のために，看護婦の心得から環境整備，褥瘡予防，救急法などを，わかりやすい言葉で具体的に看護技術を著していることがわかる。

　また，著書のなかで，看護婦は医師の指示に従うものと述べながらも，「互いに信用し同意して患者の益を計るもの」と続けている。これはナイチンゲールの職業的・精神的自立を示したもの

であり，かつ現代のチーム医療に通じるものがここで論じられているのと考えることもできる。

ここから，今度はこの一次資料である『実地看護法』をチーム医療という視点から患者，医師，家族，助手との関わりを読んでいくと，新たな知見を得られる可能性が出てくる。

✎ 二次資料の活用例

二次資料はインターネット検索や各種図書館などで比較的容易に入手できるので，まず可能な限り資料を収集する。そして，それらを読み込み，そのテーマに関し，何がすでに明らかにされていて，何がいまだに解明されていないのかを分類・整理する。その際，各々の書籍・論文の巻末に記載されている引用・参考文献欄に注目する。主要な先行研究は引用される回数の多さや年代から判断できるため，自分の研究が先行研究に対し，どのような位置づけなのか，どこに独自性があるのかなどを明確にするための素材として二次資料をうまく活用する。

二次資料しか見当たらない場合は，本来そのテーマ・領域に関する一次資料を得にくいか，十分に検討されていないかのどちらかであるため，その探究方法を独自に考えていく。二次資料を分析・整理する過程で，自分の研究テーマになりそうな"当たり"をつけていく。ただし，新知見の発見・発掘が求められない課題レポート，ゼミ論文，卒業論文の場合には，まず二次資料を丁寧に解読し，傾向や経緯を整理し，自分なりの考えを加えることに力を入れたい。

Step 1/3 質的調査(定性的調査)と量的調査(定量的調査)

質的調査とは

　質的データとは,「ドキュメント」あるいは「テキスト」と呼ばれ,古文書,日記,手紙,新聞記事,雑誌記事などをさし,観察やインタビュー調査をもとに得られるものが多い。一方,量的データとは,身長,体重,満足度(五件法など)などの数値データのことを表し,0を基点とする比例尺度と,各々のデータの間隔を調べる間隔尺度などがある 。

　こうしたデータの種類によって,それらを取り扱う調査の種類,手技,手順なども異なる。数値化しにくい質的データを研究対象とする場合と,完全に数値化したデータを検討する場合とでは,調査の過程のみならず,結果の見え方も大きく違ってくる。

　つまり,質的調査(定性的調査)とは,個別性や特殊性を重視し,インタビュー調査結果や文書資料など,テキストや文章が中心となっている質的データを収集し,そのデータにみられる語り手や記録者の思想・考え方・哲学・信条などをくみ取ることである。その際,テキストや文章の順序・配列はもちろんのこと,微妙なニュアンスや言い回しにも注目したい。表面上の意味のみならず,言外の意味を想起し,隠された思考を導き出そうとすることが重要である。少なくとも本書では,聞き取りをした結果を何の文脈も考慮せず,文章や論稿に羅列することは質的調査において意味をなさないと考える。

表1-5 質的データと量的データ

データの種類	尺度		例
質的（定性的）データ	名義尺度	大量のデータ・資料を分類・整理するために，便宜上数値を割り当てたもの。数の大きさや数の相関はなく，ただ単に区別するために用いられる。	ドキュメント，テキスト，文学作品，歴史資料，自伝，手記，日記，フィールドノート，インタビュー結果
	順序尺度	上位・下位というように数の順序には意味があるが，その間隔・比率には意味がないもの	
量的（定量的）データ	比例尺度	身長，体重，金額など原点（0）があり，和・差・積・商が自由にでき，間隔・比率にも意味があるもの	国勢調査，調査結果，観察データ，実験データ
	間隔尺度	目盛が等間隔になっており，和・差には意味があるが，比率には意味がないもの	

　なお，近年では，形式化されていない文章に含まれる単語や文節から，それらの出現頻度，関係性を定量的に把握する方法である「テキストマイニング（text mining）」が用いられることがある。この方法は「信頼性・客観性の向上」と「データ探索」に優れているとされ，言葉・用語の登場回数や各々の近似性などを検討できるようになる。質的研究の科学性を高めようとする動きは見過ごせない［参照：p.90］。

量的調査とは

　量的調査（定量的調査）とは，全体性や客観性を重視し，質問

紙を回答者に記入してもらい，それを分析するものである。質問紙調査（アンケート調査）に代表される数値をもって表す手法のことである。

　量的調査は，調査にかかる時間や費用を節約できるが，あまりにも少ないサンプル数では，その信頼性を疑われてしまう。研究テーマの中身にもよるが，サンプル数は通常100以上は必要であり，その調査データに見合った分析方法（検定，統計解析）を各自で選定しなければならない。この調査法は，明確に数値で示せることや，全体像を見やすくするというメリットはあるものの，それはある特定の方向から切り取った一面にすぎず，それをもって物事の現象そのものを語ることには限界がある。量的調査の限界を十分に理解しつつ，有効活用することが望まれる。

質的研究における調査とデータ

　本書では，質的研究の主対象である質的調査において，質的データの収集・分析の基本を理解することに努めてほしい。具体例として，インフォーマル・インタビュー，現場観察，参与観察，偶発的観察，文書・資料の解釈，歴史的資料の発掘・分析・検証などが挙げられる。これらから得られる質的データそのものが，日常言語に近い言葉による記述であることが多い。量的データのように数値化できない点で扱いにくいが，言葉のニュアンス，論理の展開（間隔ではなく順序に意味がある），対象者の思考・特徴などが表出されやすいため，研究内容や研究成果が深まりやすい。

　では，私たちは調査から得られた質的データをどのように研究に活用すればよいのだろうか。みなさんのなかに，質的データを

切り取って貼り付ければよいと安易に考えている人はいないだろうか。聞き取り調査結果（全体像）から部分的に取り出し羅列するだけでは研究とはなり得ず，事例の部分的・断片的紹介に留まってしまう。本書冒頭で述べたように，「問い」に応答することが必要なのである。

つまり，「〇〇か？」という問いに対する論拠として，「論拠A」「論拠B」「論拠C」と，客観的事実を示し，信頼性をもたせることが重要である。ただし，この場合も，各論拠A, B, Cの相互関係や配列についても，文脈を考えながら慎重に進めなければならない 図1-4 。

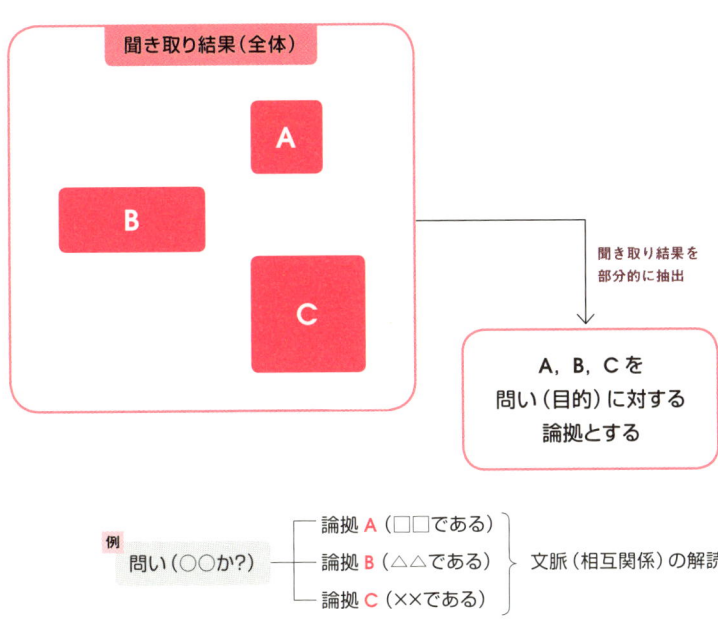

図1-4 質的データの活用——聞き取り調査結果の羅列でいいのか？

文献検索・文献検討

文献検索

　実際に質的研究を行う前に，自分で選んだ領域・テーマ・課題がどこまで明らかにされているのかを精査しなければならない。佐藤[5]によると，通常①理論書，②先行研究，③一般的資料，④内部記録文書を調べることとし，岩田ら[1]は，それぞれ①先行研究，②専門雑誌，③図書館の書架，④文献目録と電子化されたデータベースでの資料収集が欠かせないという。

　また，良質の理論書は，「なぜその問題が大切なのか」「何が自分にとっての問題なのか」という問題発見の方法を教えてくれる。そうした問題意識や目的意識をもちながら文献に当たることが必要といえる。

文献検索の実践

　文献検索は以下の6点を考え，範囲をいかに指定するかを決

1. 領域をどの程度特定するか
2. 何をキーワードとして検索していくのか
3. 時代（○年代〜○年代）をどの程度絞りこむか
4. 医療・福祉・心理などの看護系以外の学問領域の文献をどの程度取り上げるか
5. 電子化されていない文献をどこまで遡るか
6. 洋書・海外文献をどの程度取り上げるか

めなければならない。

　このような視点で範囲を狭めながら，文献を収集することが必要である。Web 検索で"当たり"をつけておくことも初期段階では意味があるが，さまざまな方法を駆使して訪問調査（現地調査）をすることが重要である。また，検索の過程では，これまでの研究で何が明らかにされていて，何がまだ明らかにされていないのかを分類しながら，研究の目的・方法・方向性などを考える。先行研究と照らし合わせて，自身の研究がどのような位置にあるのかを想定しながら作業を進めるとよいだろう。

やってみよう！
文献検索・文献検討の実践

① 先行研究が多い場合	② 先行研究が少ない場合	③ 先行研究がない場合
研究テーマ（キーワード抽出）		
NDL-OPAC，CiNii，J-STAGE，Google Scholar などによるキーワード検索		
先行研究状況の整理（解明・未解明の区別）	研究論文の内容・文献一覧を精査	一次資料の収集（公立図書館，国立公文書館，大学附属図書館，歴史資料館など），インタビュー調査（現地調査）の敢行
概要把握 すでに明らかにされている主要研究，特徴，要点，研究の傾向などを把握	一次資料と二次資料を分け，要点を整理	断片的な情報，些細な情報を一つずつつなぎ合わせる
	すでに引用・参考されている書籍・論文・報告書などを遡って，一次資料を収集（国会図書館，公立図書館，国立公文書館，大学附属図書館，歴史資料館など）	資料をつなぎ合わせつつ，構想・筋書き(物語)を考える
研究の独自性 いまだに解明されていないこと（何を明らかにする必要があるか，どういう方法でアプローチするか，その切り口をどう考えるかなど）を見出す	収集した資料を分類・整理	自己の主張・考えを明確にし，それを裏づける資料を吟味
	研究に使用するか否かの判断を下す	資料を論証のために引用・参照
	資料を論証のために引用・参照	

文献検討

研究レビューを活用する

　研究を進めるうえで研究レビューも重要な手順の一つである。これは、ある研究の分野もしくはテーマに関してこれまでに書かれた論文や研究書等の文献を読み、その内容を理解し、批判的な検討を加え、何らかの形で文章化すること、あるいは口頭発表することである。研究レビューの結果が、独立した論文とほぼ同等の形で発表されたものは「レビュー論文」と呼ばれるが、先行研究の流れや解明状況を把握する一つの手掛かりとなる。

　文献検索のツールを 表1-6 に示す。まず、どんな研究領域でも、レビュー論文は存在しているので、NDL-OPAC, CiNii, J-STAGE, Google Scholar といった検索システムを活用して調べることから始まる。地方自治体の図書館の蔵書検索システムや、各大学の蔵書・論文検索システムを利用することもよい。「自分の調べたい研究領域の概念」＋「レビュー論文でよく用いられる用語（キーワード）」を入力することで、情報が得られるので、みなさんもぜひ試してほしい。レビュー論文の大切さは以下のような特徴からも示される。

> レビュー論文には、
> - 論文を整理する軸があることが多い
>   ⇒**過去をたどるための手掛かりになり、先行研究を精査するための「羅針盤」となる**
> - 「現在までの到達点」と「今後の課題」がある
>   ⇒**自分の研究の独自性を探る手掛かりになるものがある**

表1-6 文献検討に必須の情報

	データベース	解説
Web 検索	・CiNii Articles	・国立情報学術研究所が提供する論文情報のナビゲータ
	・CiNii Books	・国立情報学術研究所が提供する書籍情報のナビゲータ
	・NDL-OPAC	・国立国会図書館雑誌記事検索
	・Google Scholar	・Google を活用した論文・書籍の検索
	・Cochrane Library	・EBM/EBM の根拠になる国際的データベース
	・Dissertation Express	・米国を中心とした博士・修士論文のデータベース
	・Webcat Plus	・全国の大学図書館・国会図書館の蔵書を本・作品・人物に分けたデータベース
	・KAKEN	・科学研究費補助金データベース
	・NII-DBR	・学術研究データベース・リポジトリ（複数同時検索可能）
	・JAIRO	・学術機関リポジトリの蓄積情報を横断的に検索
	・Clinicalkey	・すべてのエルゼビア医療系コンテンツを収載したクリニカルデータベース
	・DiaL	・社会老年学文献データベース
	・J-STAGE	・科学技術振興機構の総合電子ジャーナルプラットホーム
	・地方自治体の蔵書検索システム	
	・大学の蔵書・論文検索システム	
訪問調査	・国立国会図書館	・国内で刊行された図書・論文の複写
	・国立公文書館	・国内で保管されている歴史資料の検索・複写
	・（財）鉄道弘済会福祉資料室	・社会福祉系の図書・論文・新聞の収集・複写
	・官庁・自治体の図書室	・厚生労働省図書室など
	・日本子ども家庭総合研究所図書室	
	・日本社会事業大学附属図書館	・社会福祉系の書籍・論文・新聞など
	・東京大学大学院法学政治学研究科附属近代日本法政史料センター（明治文庫）	・戦前期の新聞・雑誌などの資料
	・労働政策研究・研修機構（JIL）	・労働・政策・福祉系の資料
	・全国の大学附属図書館	・各大学の図書・論文・紀要など
	・各地の公立図書館（郷土資料室）	・一般書籍のほか地元資料など
	・各地の歴史資料館・博物館	・歴史資料の展示・保管
その他	・電話調査	・キーワード，時代，資料名などをもとに，調査・収集

5 先行研究分析

研究の範囲を把握する

　十分な文献検討を踏まえ，自身の研究テーマに引きつけながら，これまでの研究成果を整理・分析することを先行研究分析という。ここでも基本的には，そのテーマ・課題にとって，何がすでに明らかにされていて，何が依然明らかにされていないのかを指摘することが重要である。分析視点として， 表1-7 に示したように，ある事柄（テーマ）に対し，十分に解明されているが，自分は批判的な見解をもっているものを，研究テーマとして設定するとよい。その方法は多様であるが，よくある7つのパターン（p.23～25）を参照しながら，各テーマの先行研究の状況に見合った分析方法を採用してほしい。

表1-7　研究テーマの可否

自己の考え／研究状況	肯定	否定
解明		研究対象
未解明	研究対象	

1 付け加え型

　本研究の目的を述べ，先行研究 **A**，**B**，**C**，**D**，**E**……と，主要な研究を挙げる。同時に，これらをどの範囲内でどのような方法を用いて収集したのかを記述する。そして，その範囲で取り上げたことが何を表しているのかを指摘する。

- **A** → 概要説明
- **B** → 概要説明
- **C** → 概要説明
- **D** → 概要説明
- **E** → 概要説明

しかしながら，本研究の目的を達成するための，○○という視点からは検討されていない。よって，ここでは，本研究の課題として，□□を設定する。

⇒ 新知見につながる

2 分類 → 付け加え型

　本研究の目的を述べ，先行研究のなかからあるテーマを概説した **A**，**B**，**C** と，より焦点化した（ある事項・キーワードに特化）**D**，**E** に分類。さらに，別の事項・キーワードに特化した **F**，**G** などに分類できる。

- **A**
- **B**　概要説明
- **C**　何がこれまで明らかにされてきているのかを指摘する

↓

反面，何がまだ解明されていないのかを具体的に指摘する
例 ，**Y**，**Z** が未解明なままである。

↓

このうち，○○という理由から を本研究の主題とする
その際，**Y** を選定した理由も併記する

- **D** → これまでの研究成果の概要
- **E** → これまでの研究成果の概要
- **F** → これまでの研究成果の概要
- **G** → これまでの研究成果の概要

＊**D**～**G** の各々が本研究の目的という観点から，□□が解明されていない。そこで，上記を踏まえ，**Y** を本研究の課題とする。

Step 1 ▶ 質的研究を行うための基礎固め

３ 記述検証型

　○○に関する主要な先行研究として，A, B, C, D, E, F などが挙げられるが，内容からして，これらすべてが A の研究（あるいは，A の具体的な記述内容を明記）に基づいたものである。確かに，A の指摘するように，X という記述は今日的状況を顧みるうえで意義がある。しかしながら，X の内容・中身そのものの検証は従来されてこなかった。A の示す X という記述の真偽を示唆する論拠はどこにあるのか。その手掛かりを得るべく，本研究では，□□調査（インタビュー調査，一次資料の入手など）を実施する。

例　A の示す X ⇒ 概要説明 ⇒ これに基づいた先行研究（B〜F）

B
C　　X の論拠は？？
D　　　⇒ A が指摘した X を検証すべく，
E　　　　　今回新たに□□調査を実施
F　　　⇒ その結果，△△ということが明確になった。

４ 記述反証型

　○○に関する先行研究として，A, B, C, D, E, F などが挙げられるが，これらはいずれも A の研究の Y という記述に依拠して書かれている。
　Y では，○○のモデルとされた□氏が挙げられている。ここに着目した場合，その□氏を追跡し，その詳細を掘り起こしたうえで，その当時の□氏の生活を，時間軸をもとに検証する。その結果，○○が創設された19××年の３年後に□氏は帰郷していることから，同地で創設した○○のモデルに□氏はなり得なかったことが示唆される。よって，本研究の成果として，△△ということが指摘できる。

5 比較検討型

　○○に関する先行研究としては，A，B，Cなどがあり，従来，いくつかの比較検討がされてきた。たとえば，AとB，BとCとの比較が行われてきた。しかし，AとCとの比較は□□という理由から着手されていなかった。そこで，本研究では，AとCとの比較を行い，新たな知見を得ることを試みた。

　また，地域別・国別などの比較検討も可能であり，大都市と地方都市との比較のほか，比較的多く見られる日英比較，日米比較，日独比較，日仏比較，日中比較に加え，手薄であると考えられる日露比較，日蘭比較などからも新たな知見を得られると考えられる。

> いずれにしても，なぜその比較の視点を選んだのか，その比較検討から，どのような結果や手掛かりが得られるのか，そしてそれは何を目的としたものであるのかを明記しておくとよい。

6 研究史整理型

　○○に関する先行研究として，A，B，C，D，E，F，G，H，I，J，Kなどがある。これらの研究状況を時期区分しながら，歴史的視点から整理すると，①草創期ではA，B，②始動期ではC，D，E，③展開期ではF，G，④発展期ではH，I，J，⑤衰退期ではKとなる。本研究ではこのうち，□□という理由（視点）から，発展期の主な研究であるH，I，Jに焦点化して検討する。この検討により，△△ということが明らかになるだろう。

7 実態解明型

　○○に関する先行研究として，□□という記述がわずかにみられるものの，従来研究されてきたとはいいがたい。その理由として，△△が考えられるが，現在，××という問題が指摘されるなかで，○○についての研究を深める必要性が高まっている。そこで，本研究では，△△を手掛かりにし，●●という視点でインタビュー調査を行った。すると，■■という事実が判明した。得られた結果を，キーワード，サブカテゴリー，カテゴリーの順で整理したところ，いくつかの要因に分類することができた。

倫理的配慮

倫理とは

　「倫理」とは多様な個人たちが社会という共通の場で暮らしていくうえで求められる「道徳」「価値観」「規範となるもの」のことである。これがある職業領域に特化したものを「職業倫理」という。看護師には守るべき指針として日本看護協会が示す『看護者の倫理綱領』があり、これをもとに実践上の専門性が保たれている。この指針は必ずしもこの範囲に限定したものではなく、これをもとに個々の努力を通して、専門職者としての資質の向上をめざすことが求められる。

研究対象者への倫理的配慮

　研究に携わる人間にとって、最も留意しなければならないのが「倫理的配慮」である。これは、一研究者としてというよりも、一人間として求められる配慮である。一人間としてのモラルと責任を各自が再認識し、その確かな手順と経緯について明示しなければならない。研究とは、他者や協力者などの手助けなしには到底成立し得ないからである。

　対象者となる協力者へ研究の参加を求める場合、研究責任者は、あらかじめ 表1-8 の事項について文書により説明し、十分な

表1-8 対象者に確認すべき事項

- ☑ 研究への参加は任意であること
- ☑ 研究への参加に同意しない場合にも不利益を受けないこと
- ☑ 同意は不利益を被ることなくいつでも撤回できること
- ☑ 対象者に選定された理由を明確にすること
- ☑ 当該研究の意義,目的および方法,研究計画が終了するまでの期間ならびに対象者が参加を要する時間,頻度および1回の参加に要する時間を示すこと
- ☑ 研究者の氏名,所属,職位を明らかにすること
- ☑ 予測される当該研究の結果,社会に期待される利益ならびに起こり得る危害,不快な状態およびそれらへの対応を示すこと
- ☑ 特許権が発生する可能性がある場合には,その帰属先を明らかにすること
- ☑ 対象者が特定できないよう配慮したうえで,研究成果が公表される可能性があることを明らかにすること
- ☑ 当該研究の資金源,起こり得る利害の衝突および研究者と関連組織との関わりを明らかにすること
- ☑ 資料,データおよび個人情報の取扱い,保存の方法・期間を示すこと
- ☑ 当該研究についての問い合わせ先および苦情等の窓口・連絡先を示すこと

理解を得たうえで,対象者になることについて文書により同意を得なければならない。

　ただし,協力者が同意能力を欠く場合など,同意を得ることが困難であるときは,各種機関・団体が示す研究倫理に関わらず,代諾者の同意を得ることにより,協力を得られる。この場合は,代諾者は,対象者と良好な関係にあり,適正な判断力を有するなど,対象者の最善の利益を守れる者でなくてはならない。

　では,研究論文や研究発表レジュメを作成する際,倫理的配慮に関して具体的にどのように記載すればよいのか。例をまとめたので参照し,倫理的配慮に努めてほしい。

> **Step 1** ▶ 質的研究を行うための基礎固め

▶質的研究における倫理的配慮の書き方

　本調査は，「○○に関する倫理審査委員会」の審査・承諾を受け実施した。面接は筆者から協力者に直接依頼し，同意を得られた方のみに行った。また，面接に当たっては語りたくない質問には答えなくてよいこと，プライバシーを厳守したうえで面接の記録を論文に使用することを十分に説明した。説明した後に協力者に書面で内容確認のサインを得た。面接場所は，面接内容が外部に漏れないようプライバシーが保証される個室で，協力者に了解をとったうえで行った。

　インタビュー内容を録音したICレコーダは筆者のみが使用し，自宅などでは鍵のかかる場所に保管した。また，本研究は個人が特定されやすいため，氏名だけではなく居住地域・年齢・性別などのデータの取扱いには十分に注意したうえで文字化し分析を行った。なお，本研究の内容については，協力者全員に結果を提示し了解を得た。

▶箇条書きによる倫理的配慮の書き方

1. 各機関および調査協力者への説明文には以下のことを明記した
   ① 得られた情報はこの調査のみに使用する
   ② 個人や所属が特定できないようにする（無記名回答）
   ③ 協力の自由および非協力による不利益が生じない
2. 協力者からの同意書を得た
3. 他者に見られないように封ができる封筒を渡し，質問紙回収の際の秘密保持に配慮した

▶トライアンギュレーション*を含む倫理的配慮の書き方

　本論の執筆にあたり，施設長および職員に研究の目的を説明したうえで，施設や個人が特定されないように十分に留意して事例概要や支援内容を記述すること，および職員へのインタビューを行うことへの了解を得た。事例概要については，文脈に影響がない範囲で加工している。また，結果がまとまった段階で職員に報告（メンバーズ・チェッキング）を行った。

＊参照：Step3-16, p.70

▶インターネット調査における倫理的配慮の書き方

倫理的配慮としては，インターネット調査会社のモニターに対して，Web上で調査の目的，成果公表の仕方などを説明し，同意を得られたモニターから上記の会社を経由して回答を回収した。なお，調査への参加はWeb上での回答をもって同意を得たものとした。

▶倫理的配慮の簡潔な書き方

調査対象者に対して，調査の目的と方法，データ処理方法，結果のまとめ方などについて説明するとともに，調査協力の任意性と撤回の自由，途中辞退の自由，調査協力に伴う利益と不利益，プライバシーの確保，データ保管，調査結果の公表に際しては地域や個人名を特定しないことを説明し，同意を得た。

やってみよう！

倫理的配慮の実践手順

① 電話による問い合わせ
② 書類送付
③ 直接，口頭説明をする，対象者の同意を得る
④ チェックリストを確認

[インタビュー調査の実施]

⑤ 結果（質的データ）の逐語録の作成
⑥ 研究論文などへの引用後，草稿段階で了解を得る（期限を設けて郵送し，確認する）
⑦ 同意が得られたら，引用するとともに「倫理的配慮」欄に実践概要（手順）を記載する

参考文献

1) 岩田正美, 小林良二他 (編): 社会福祉研究法―現実世界に迫る 14 レッスン. 有斐閣, 2006
2) ウヴェ・フリック (著), 小田博志, 山本則子他 (訳): 質的研究入門〈人間の科学〉のための方法論. 春秋社, 2002
3) S・B メリアム (著), 堀薫夫, 久保真人他 (訳): 質的調査法入門―教育における調査法とケース・スタディ. ミネルヴァ書房, 2004
4) 鯨岡峻: エピソード記述入門 実践と質的研究のために. 東京大学出版会, 2005
5) 佐藤郁哉: ワードマップ フィールドワーク 増訂版―書を持って街へ出よう. 新曜社, 2006
6) 日本社会福祉学会 (編): 社会福祉学. 第 43 巻第 1 号 - 第 55 巻第 2 号, 2002-2014
7) 久田則夫 (編): 社会福祉の研究入門 計画立案から論文執筆まで. 中央法規出版, 2003

データ収集の方法

Step 2

- **7** 研究参加者選び（サンプリング）
- **8** インタビュー調査の種類と手順
- **9** 効果的なインタビューのための質問
- **10** インタビューの種類
- **11** 観察法
- **12** エスノグラフィック・インタビュー
- **13** ナラティヴ・インタビュー
- **14** フォーカス・グループ・インタビュー

研究参加者選び
（サンプリング）

　いかなるアプローチや調査であっても，常に全数調査ができるほど調査期間や研究費用に恵まれているとは限らず，接触できる人や地域は当然限定される。その一方で，調査者は自分が実施した調査から得られたデータをもとに，その調査範囲を超えて，ある特定の人々やその地域全体に一般的に当てはまることだと主張する傾向がある。また，調査者は，自分の調査がある条件下で示された単なる実態調査のデータの一つであるにもかかわらず，実際より一般的な問題を扱っていると考えたがるものである。ここで問題となるのは，調査対象がどれだけ全体を代表しているのか，あるいはどの程度一般性をもつのかということである。

サンプリングとは

　一般的に，母集団から標本（sample）を選び出す作業のことをサンプリング（sampling，標本抽出）という。サンプリングは，無作為抽出法（random sampling）と有意抽出法（non-random sampling）に大別される。

　無作為抽出法には，単純無作為抽出法，系統的抽出法，層化抽出法などがある。単純無作為抽出法は，不特定多数の標本をくじ引きのように選ぶ方法である。調査者が自身に都合のよい結果を導くために標本を選んだり，時間を節約するために身近な人から

データを得たりすることがないよう，調査に客観性をもたせる。系統的抽出法とは，不特定多数の標本から，最初の標本をランダムに選び，後の標本を母集団との縮小比率に合わせて一定の間隔で系統的に抽出する方法である。たとえば，ある地域の住民5,000人から500人を標本として抽出する場合，母集団と標本数との比は10：1なので，10人おきに等間隔で抽出する。層化抽出法は，母集団をいくつかの層で分け，適切な比率で標本を抽出する。

量的調査の場合であれば，数百の標本（大規模調査では数千）が必要であるが，質的調査の場合は30～50程度の標本でも論文作成や主義・主張ができるだろう。いずれにしても，まず主観を排除してデータを収集し，その後いかなる分析をするか，各調査者の工夫が求められる。

一方，有意抽出法とは，調査者が「このテーマについてはこのような集団を調べると明確な結果や典型事例が得られやすい」という主観のもとに標本抽出をする方法である。たとえば，ある職種全体を対象とした調査で，対象を年代や役職で絞りこむといったことである。試験調査やモニターなどの対象の条件が設定されている場合には使用できるが，極めて主観的なため，この手法を用いてある集団の全体的な傾向を述べることは難しい。手法が未成熟であり，統計的に評価できないため，現在ではあまり重視されていない。典型調査，割当法，アンケート法などがある。

🖊 雪だるま式サンプリング

量的研究と比べて質的研究の場合，アプローチ法やデータ分析などにおいて，科学的という印象からかけ離れているように思われる場合がある。質的研究における研究参加者選び（サンプリング）では，よく「雪だるま式サンプリング（ネットワーク標本抽

出法）」という方法を採用する。この方法を用いる母集団は，調査者側と何らかの接触がすでにあり，ラポール（信頼関係）がある程度形成されているインフォーマント（情報提供者）を軸に，その人的ネットワークを手繰ることができる。通常は，最初の面接対象者や集団に研究テーマに関係した人を紹介してもらい，さらに他の対象者を紹介してもらうという形で展開していく。つまり，図2-1 に示すように，最初にアプローチできた人々を対象にしてインタビュー調査をする。あるいはその人々の中に飛び込み，共に行動して調査を進める。そして，最初にアプローチできた人から得られた情報を活用し，その人から次の対象者を紹介してもらうなどして，さらにアプローチを進める。こうしてネットワークをたどることで，対象者の数や範囲が雪だるま式に増えていく。こうしたプロセスを経て，質的研究では，対象者の延べ人数は増加するものの，解き明かしたい観点や課題解明の手掛かりは絞られてくる。

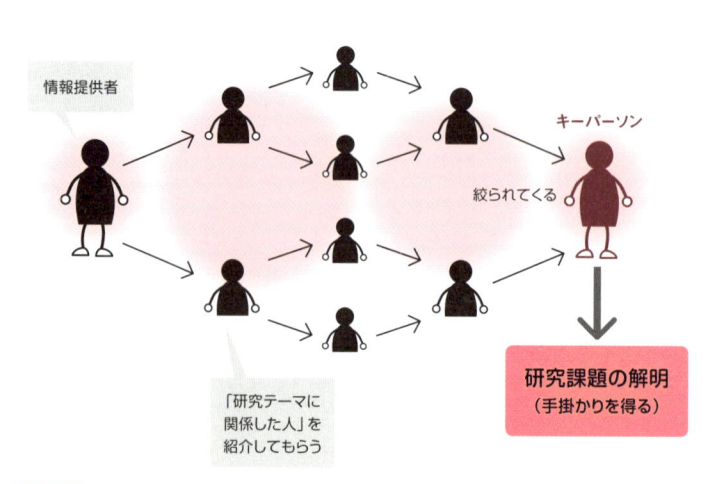

図2-1 雪だるま式サンプリング

ただし，このような言わば「友達の輪」を広げていく方法は科学的ではない「ご都合主義的（便宜的）サンプリング」として非難されることもある。しかし，量的研究とて万能ではない。質的研究における雪だるま式サンプリングも，対照的で科学的に見える量的研究における確率的サンプリングも，サンプリングには多かれ少なかれ，ご都合主義的側面がある。よって，各々の限界を踏まえつつ，こうしたサンプリング法を用いて課題解明に近づいていく。

Step 2/8 インタビュー調査の種類と手順

　インタビュー調査を効果的なものにするためには，自分の研究テーマに沿った話を聴取するだけではなく，事前に先行研究を分析して，聞き取りが必要な事項を整理しておくことが重要である。想定される語りを検討し，さらに深く掘り下げるために，キーワードやキーパーソンのほか，対象者の思想・哲学，逸話を引き出せるような質問・ポイントを挙げておくことが必要となる。

　初学者にありがちな，「面白いからやる」とか「楽しそうだからやる」などという安易な動機や姿勢は慎まなくてはならない。なぜなら，対象者の生き様に触れるため，質的研究者には，その人の思想，生活，尊厳を守りながら研究に臨むという姿勢が，研

表2-1 インタビュー調査の種類と概要

種類	概要
・個人インタビュー	・1対1で聞き取りを行う
・集団インタビュー	・数人に集まってもらい，話を聞き取る
・フォーカス・グループ・インタビュー（FGI）	・グループ内での相互作用による語りに焦点を当てる
・エスノグラフィック・インタビュー	・あるグループの行動を構造化する価値観・態度を明らかにする
・ナラティヴ・インタビュー	・自分が関わった対象領域の歴史を即興的に語る
・観察法（参与観察）	・当事者の活動に深く関わりながら，詳細かつ正確な情報を得る
・観察法（非参与観察）	・当事者の活動に参加せず，外から情報を入手する
・グラウンデッド・セオリー・アプローチ（GTA）	・現実の世界に根差し，ある実践の側面を帰納的に構築する
・ケーススタディ	・ユニットや境界づけられたシステムを要約し，全体的にとらえる

究倫理の面から強く求められるからである。

こうしたインタビュー調査には研究の切り口や目的・アプローチ法の違いからいくつかの種類がある 表2-1 。これらは各々の研究テーマに照らし合わせながら，調査者が適宜選定し実施するものである。

インタビュー調査の前に

では，インタビュー調査を具体的にどのように進めるとよいのか。ここでは，「調査前」「調査中」「調査後」の3段階に分けてとらえる。まず，調査の全体像を想定するために，以下の項目について明確にする。

1. 調査の目的
2. 調査項目・内容
3. 調査の方法：時期，場所，回数など
4. 倫理的配慮：プライバシーや個人情報の保護
5. 謝礼
6. 問題発生時の対処方法と責任の所在

これらは，調査者と対象者との信頼関係作りのための項目である。基本的には，表2-2 の「調査前」に示したように，どのような問題意識のもとに，何を目的とし，いかなる事柄を知りたいのかを明確にすることから始まる。

次に，予備調査（pilot study）で，調査対象の候補を選び，調査依頼，事前顔合わせ，インタビューガイドの作成などの準備を行う。なお，調査依頼では，調査協力依頼状 図2-2 を作成するとよい。

Step 2 ▶ データ収集の方法

表2-2 インタビュー調査の進め方

	進め方	注意点
調査前	・問題意識・研究目的・研究課題 ↓ ・予備調査（pilot study） ↓ ・「〇〇に関する調査についてのご協力のお願い」（調査依頼） ↓ ・インタビュー前の関係作り（事前顔合わせ） ↓ ・インタビューガイドの作成（質問内容の吟味・精査）	・質問したい内容を考える ・対象者候補を選ぶ ・必ずしもこの限りではない ・必要最小限にする（質問数は10個程度）
調査中	・自己紹介 ↓ ・調査協力への謝意を表明 ↓ ・趣旨説明（研究テーマ，目的，プライバシーの保護，録音の許可） ↓ ・インタビュー調査の開始 ↓ ・メモの併用 ↓ ・聞き取りの最後に，性別，年齢，職業などの個人情報（フェイスシート）について聞く ↓ ・インタビュー調査の終了 ↓ ・（可能であれば）記念撮影 ↓ ・改めて謝意を表明 ↓ ・不明点などが出た場合には，改めて協力をお願いしたい旨を伝える ↓ ・次の対象者を1～2名紹介してもらう ↓ ・挨拶とお礼	・丁重かつ端的に述べる ・安心できる雰囲気作りを心掛ける ・受容・傾聴を重視する ・語りを誘導しない ・最後に確認する ・1回のインタビュー時間は30～40分程度に留める ・記憶に残しやすくするため（必ずしもこの限りではない） ・「ほかにこのテーマに詳しい方はいらっしゃいますか？」氏名・連絡先確認
調査後	・後日，対象者に礼状を書く ↓ ・逐語録の作成（テープ起こし） ↓ ・インタビュー・ノートに気づいた点を書く ↓ ・理論的分析メモの作成（面接内容，コード・ノート） ↓ ・各研究テーマ・課題の解明のために，実証結果を整理する ↓ ・論文・発表レジュメに倫理的配慮について記載する	・便箋1～2枚に，丁寧に書く ・年月日，場所，時間，印象深かったことなどを併記 ・歴史研究の場合は年表作成 ・分析手法を検討する

○○○○施設　　　　　　　　　　　　　　　　　　　　年　月　日
施設長 ○○様

[研究者氏名・所属]

○○に関する調査についてのご協力のお願い

拝啓
　時下益々ご健勝にてご活躍のこととお慶び申し上げます。
　さて，誠に恐縮ですがご依頼申し上げたいことがございます。
　私は現在，「○○」の研究を○○大学で進めております。つきましては，下記の研究実施計画に基づき，貴施設の職員から○○に関する事柄につきまして，お話をうかがいたく存じます。
　本研究は，○○を詳細に分析・検討し，○○を提言するものであり，今後の看護のあり方を考えるための貴重な手掛かりを得ることになると考えております。
　貴施設の関係者のプライバシー・個人情報等には，十分に倫理的配慮を致しますので，ぜひご協力賜りたく改めてお願い申し上げます。そのほか，何かご不明の点等ございましたら，下記までお問い合わせいただければ幸いです。
　それでは，今後ともご指導・ご鞭撻の程宜しくお願い申し上げます。

敬具

研究実施計画

対象者
　　○○施設の職員○名
期間及び研究の進め方
1　予備調査
　　○○施設内を見学させていただき，本調査の対象者を選出いたします。
2　本調査
　　○○施設の職員を観察及び聞き取りをさせていただきます。その際，内容をICレコーダで録音させていただきます。職員○名に対し，各人○分ほどお時間を頂戴し，必要最小限の範囲でインタビュー調査をさせていただきます。
3　倫理的配慮（プライバシー・個人情報の保護等）
　　本調査において得られたデータ等につきましては，研究成果の公表の際にはすべて匿名扱いとし，個人情報の保護に最大限配慮いたします。加えて，公表前には内容をご確認賜ります。録音された音声等の視聴は，本研究の研究グループ間のみで行います。得られたデータは施錠した個人ロッカーに保管し，5年間を目途に破棄し，書類はシュレッダーにかけて処分します。

連絡先：[研究者の連絡先]

図2-2 調査協力依頼状の例

インタビュー調査実施時

　調査時には，改めて自己紹介をし，謝意を表明したうえで，当該研究の趣旨説明（研究テーマ，目的，プライバシー保護，録音許可など）をわかりやすく丁寧に行う。その際，対象者が緊張しないように，できる限り安心できる和やかな雰囲気作りを心掛ける。天気，世間話のほか，調査会場までの交通手段などについて話すとよいだろう。

　インタビュー調査実施時には，受容と傾聴を重視し，対象者からの有用な回答を引き出すようにする。ただし，特定の回答に近づけるために，強引に語りを誘導したり，否定したりすることのないように注意しなければならない。1人1回につき30〜40分程度を目安とした聞き取りが望ましい。聞き取り終了時には礼を述べるとともに，許可を得て記念撮影を行っておくと，後々思い出しやすい。また，一連の調査で不明な点や疑問点などが出てきた場合には，改めて再調査をお願いしたい旨を伝える。さらに，調査を継続させるために，先述の雪だるま式サンプリング[参照：p.33-35]を用いて，次の対象者を確保すべく，「このテーマに詳しい方をどなたかご紹介いただけませんか」とお願いすることも忘れてはならない。

インタビュー調査の後

　調査後には，速やかにお礼状を書き，送付することで改めて感謝の意を表す。また，できるだけ早く逐語録を作成する（テープ起こし）と同時に，気づいた点や気になった事柄をインタ

ビュー・ノートや理論的メモなどに記入する。さらに，面接内容をコード化（コード・ノート作成）するとよい 図2-3 。その後，整理を終えたデータを，自分の研究上の課題究明にどのように生かすかをじっくりと考えていく。

1 理論的メモ

　夫婦，子，妻の父親の4人家族。妻の父親（85歳）とは結婚以来ずっと同居していた。1年前から認知症の症状が出始めたが，徘徊や下の世話などで手を焼かせることはない。健康状態や食事面も大きな問題はないが，唯一の悩みが入浴をしてくれないことである。毎晩お風呂を沸し，どんなに誘っても「今日は風邪気味だから」とか「昨日入ったから」と言う。「今からお客さんが来るから」と言い訳をすることもある。機嫌がよい時には何とか入浴するが，せいぜい月1回程度である。元々無精な性格だが，高齢者でも1か月間入浴しなければ臭うし，孫も「おじいちゃん臭い」と言い，家族関係が悪化してきている。何とか少しでもスムーズに入浴できるためにはどうすればよいか，みな悩んでいる。家庭内で最年長者でもあるため，自尊心を傷つけず，清潔維持を好むような支援が求められる。

　継続支援では，本人の見守り，本人の生活パターンの把握，本人のやる気の喚起，家族間の関係の見直しなどを行い，家族全体の問題であるとの認識が必要である。

　類似の生活問題への対応策として，マニュアル作成を視野に入れ，要素をカテゴリー化する。

2 面接内容 → 3 コード・ノート

面接内容	コード・ノート
・妻の父親（85歳）	・高齢者
・1年前から認知症	・身体状況
・入浴をしてくれない	・生活問題
・「今日は風邪気味だから」	・言い訳
・「昨日入ったから」「今からお客さんが来るから」	・虚言
・せいぜい月1回程度	・不潔
・元々無精	・性格
・「おじいちゃん臭い」	・孫の反応
・家族関係が悪化	・家族関係
・年長者	・世代
・自尊心	・声掛け・配慮
・清潔維持	・日常生活習慣
・家族全体の問題	・問題把握の仕方

図2-3　理論的メモ，面接内容，コード・ノート

Step 2/9 効果的なインタビューのための質問

　多様なアプローチ方法が存在する質的研究だが，量的研究の分析手法に比べると，体系的な整理が不十分であり，系統的に進めることは容易ではない。数学的な知識を必要とする統計的手法の習得が要求される量的研究に比べ，質的研究は一見たやすそうにとらえられる。しかし，調査者が研究を進めるなかで体験的に分析能力を習得していかなくてはならないため，相当難しいものであると認識しなければならない。

　そもそもインタビューを含む質的調査を行う目的は，数値化できない事象を分析したり，相手の感情，考え，思惑などを把握したるすることにある。これまでの経緯や苦労，思想的背景などは，一回のインタビューではつかみにくい。また，物理的にアプローチできない場合もある。こうしたとらえにくいものにインタビューを通して調査者はあえて立ち向かい，相手のものの見方や思考へと分け入り深層に潜んでいるものへ近づく。

よい質問・悪い質問

　インタビューの目的を明らかにしたところで，効果的に聞き取りを進めるための質問例を示す。まず，よい質問を 表2-3 に例示する。いずれも調査者の立ち位置を明確にすることや，聞き取りの目的に沿った形で質問することにより，回答が得やすくなるだ

けでなく，それを事後処理しやすくなるのである。先を見通したうえで，目の前の対象者と向き合うことが基本姿勢となる。

また，悪い質問の例を 表2-4 に示す。「ダブルバーレル質問（多重質問）」のように，一度に二つ以上の質問をしてしまうと，相手はどのように答えればよいのか，どの質問に重点を置いて答えればよいかがわからず当惑してしまう。また「キャリーオーバー効果」は，死や病気など，刺激の強い質問を最初にすることで，その後の回答に影響を及ぼすおそれがあり，本来の回答が得にくくなる可能性がある。「誘導質問」では調査者が得たい回答をめざした質問内容や構成になるため，客観性を大きく欠いたものとなってしまう。

「オープンエンドな質問」は質問が漠然としているため，何を回答したらよいか迷いやすい。逆に，「クローズドエンドな質問」はあらかじめいくつかの回答が設定されており，そこから選ぶため十分な回答を得にくくなる。「単一質問」は少し調べれば簡単にわかる年号，数値，名称などを聞き取り時に尋ねることであり，こうした質問は調査者の事前の準備不足を露呈した形となり，研究姿勢を疑われかねない。「個人情報（フェイスシート）」から質問を開始すると，必要以上に相手に警戒されてしまうので注意する。

Step 2 ▶ データ収集の方法

表2-3 よい質問の例

種類		例
仮説的質問	ある特定の状況において、対象者はどう行動するか、あるいはどんな様子になるかを尋ねる。通常、「仮に…」や「たとえば…」で始まる	「たとえば、あなたがこの研修に初めて参加したとしましょう。どのような感じだと思いますか？」
反対の立場からの質問	あえて対象者に反対の立場について考えてもらう	「高齢者虐待をした家族介護者には『虐待をされたと(高齢者自身が)被害妄想を抱いているのだ』と言う人がいます。そのようなことを言う人にはどのようにアプローチしますか？」
理想的な立場からの質問	対象者に理想的な状況について述べてもらう	「理想的な看護師養成プログラムとはどのようなものだと思いますか？」
解釈的な質問	対象者の言ったことに対する暫定的な解釈を提示し、それに対する反応を求める	「あなたは、大人になって学校に戻ることは、想像していたのとは違う、ということをおっしゃっているのですか？」
過去を回想させる質問	年代・時代を明示し、当時を回想することで逸話を引き出す	「1956年に国連より刊行された報告書『International Social Service Review』では、ホームサービスが重視されました。そのころの保育・家庭看護の実情はどのようなものだったのでしょうか？」
キーワードを引き出す質問	キーワードを示すことで、対象者が考えるキーワードを引き出す	「日本の看護実践に多大な影響を与えたとされるナイチンゲールとはどのような人物でしょうか？」
価値観・信念を引き出す質問	具体例や実話を示し、それに対する率直な考えを述べてもらう	「低い生活水準にあった当時の日本社会を目の当たりにした○氏は欧米視察を介し、なぜホームヘルプ事業の導入にこだわったのでしょうか？」
会話・対話	飾らない会話・対話を通じて、対象者の人となりを観察する	「最近、どのようなテレビ番組をよく観ますか？」「最近、どこかに旅行に行かれましたか？」

S・Bメリアム(著)、堀薫夫、久保真人、成島美弥(訳)：質的調査法入門―教育における調査法とケーススタディ．ミネルヴァ書房、p.112、2008より作成

表2-4 悪い質問の例

種類		例
ダブルバーレル質問（多重質問）	一つの問いかけに二つ以上の質問内容が含まれ，どのように答えてよいのかがわかりにくい	「あなたは年金問題や介護問題についてどう考えますか？」
キャリーオーバー効果	死や病気などの刺激の強い質問を最初にすることで，後々の回答に影響を及ぼす	「あなたは死後の世界をどう考えますか？」（→質問を続ける）
誘導質問	明らかに質問者が得たい回答へ強引に導こうとする	「職を失ってから，どのような情緒的問題を抱えましたか？」
オープンエンドな質問	質問が漠然としていて何を答えてよいかわかりにくい	「あなたの学校はどうですか？」「あなたの夢は何ですか？」
クローズドエンドな質問	回答があらかじめ限定されているため答えの深みや広がりが欠落してしまう	「このプログラムを気に入っていますか？」「勉強は難しいですか？」
単一質問	質問者自身が調べればわかる質問，答えが一つしかない質問をする	「2014年の人口高齢化率は何％ですか？」
個人情報（フェイスシート）から尋ねる	個人情報（フェイスシート）から質問し，必要以上に相手に警戒される	年齢・学歴・職業・収入・家族構成などについて聞く

S・Bメリアム（著），堀薫夫，久保真人，成島美弥（訳）：質的調査法入門—教育における調査法とケーススタディ．ミネルヴァ書房，p.114, 2008 より作成

Step 2/10 インタビューの種類

　質問の構造化の度合いからみた場合，インタビュー調査は，構造化インタビュー（structured interview），半構造化インタビュー（semi-structured interview），非構造化インタビュー（unstructured interview）の3種類に分類できる 図2-4 。構造化インタビューが「聞き出す」あるいは「情報を収集する」という性格をもつものとすると，非構造化インタビューは「教えてもらう」あるいは「アドバイスを受ける」という表現がふさわしい。

構造化インタビュー

　構造化インタビューの利点は，何といっても確実に質問でき，結果を整理しやすいことである。一問一答形式に近く，うまく整理できた場合には，量的調査と同様にインタビュー結果を数値に置き換えて集計することも可能となる。

　その反面，質問事項が典型的であり，面接時に気づいたことや追加して聞きたいことがあっても，途中の軌道修正が難しいところがある。たとえば，看護業務とストレスの関係について調べるインタビューで，ストレスの強度を「まったく感じない」「あまり感じない」「どちらでもない」「感じる」「とても感じる」の五件法で質問することが事前に決まっていたとする。この場合，それに加えて残業の有無を尋ね，それらを比較する方法で適宜補足するという工夫が求められる。

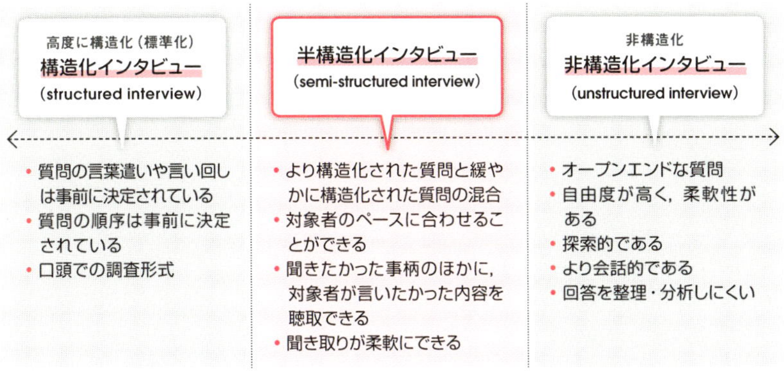

高度に構造化（標準化） 構造化インタビュー (structured interview)	半構造化インタビュー (semi-structured interview)	非構造化 非構造化インタビュー (unstructured interview)
・質問の言葉遣いや言い回しは事前に決定されている ・質問の順序は事前に決定されている ・口頭での調査形式	・より構造化された質問と緩やかに構造化された質問の混合 ・対象者のペースに合わせることができる ・聞きたかった事柄のほかに，対象者が言いたかった内容を聴取できる ・聞き取りが柔軟にできる	・オープンエンドな質問 ・自由度が高く，柔軟性がある ・探索的である ・より会話的である ・回答を整理・分析しにくい

S・B メリアム（著），堀薫夫，久保真人，成島美弥（訳）：質的調査法入門―教育における調査法とケーススタディ．ミネルヴァ書房，p.108，2008 より一部改変

図2-4 インタビューの構造による分類

非構造化インタビュー

　非構造化インタビューの利点は，オープンエンドな質問をするため，回答内容，回答のペース，回答の深まりなど，柔軟で探索的であり，より会話に近いところにある。たとえば，「最近ストレスを感じることや疲れたと思うことについて，自由にお話しください」などと，会話の内容を対象者に委ね，細かい質問項目を設定しない方法である。質問者と対象者との間に距離や壁を作りにくいというよい面がある。

　その一方で，質問の基軸が逸れたり，論点が曖昧になったりしてしまい，結局何が明確になったのかがわからず，得られたデータを後々活用しにくくなる欠点もある。

半構造化インタビュー

　このような難点を克服するために考案されたのが「半構造化インタビュー」である。端的にいえば，より構造化された質問と緩やかに構造化された質問の混合である。つまり，聞きたいことをおおよそは整理しておくけれども，その聞き方や聞く順番は，イ

表2-5 半構造化インタビューの質問例

- 看護の仕事のなかで，看護師間の連携が力を発揮するものにどのようなものがありますか
- 医師と看護師間の信頼関係に関して，重要なことは何だと思われますか
- ある人があなたを信頼しているとわかった時，あなたはその人に対してより大きな責任を感じますか
- 人にはリタイア後も生きがいが必要でしょうか。生きがいのある人とない人とでは，何が違うのでしょうか
- 中高年者に必要な生きがいとは何でしょうか
- あなたはどのようにしてホームヘルプ制度を創設しようとしたのですか
- 欧米視察をした彼はなぜ，ホームヘルプ事業に着目できたと思われますか

ンタビューの流れや状況に合わせて柔軟に変えていくという方法である。あるいは対象者の話が脱線・逸脱したり，逸話の語りとなったりしても，それを止めることなく聞き取る **表2-5**。それゆえ，予定時間内にすべてを聞き取れない場合や，超過してしまう場合もあるが，できる限り対象者のペースに合わせることが原則である。

半構造化インタビューでは，初回のインタビューが終わったあと，それを補足するため，1～2週間以内に2回目の集まりが設けられ，「構造敷設テクニック（the Structure Laying Technique：以下，SLT）」と呼ばれる方法が用いられる（ウヴェ・フリック 2002：103）。つまり，初回インタビューは文字に変換され，大まかな内容分析が済んでいることを前提として，2回目の集まりで，対象者の主要な発言を概念の形にする（構造化）。このSLTを用いた構造化プロセスの結果，対象者の主観的理論が図式化される **図2-5**。

最後に調査者が事前に作成していた構造図と，対象者が自ら作成した図とを十分に比較する。調査者の意図と対象者の考えとに

健康・生きがいづくりアドバイザー資格取得の動機について，対象者の主観的理論を模式化

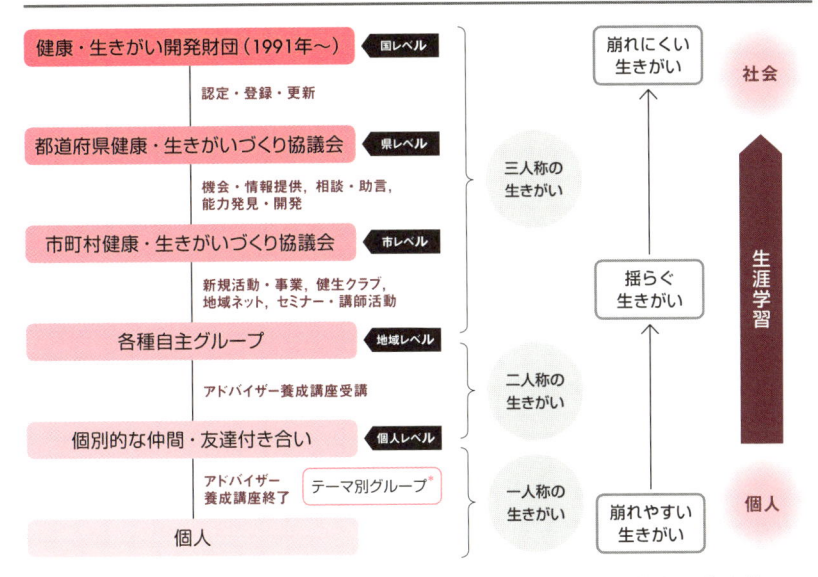

健康・生きがい開発財団（1991年〜）	国レベル
認定・登録・更新	
都道府県健康・生きがいづくり協議会	県レベル
機会・情報提供，相談・助言，能力発見・開発	
市町村健康・生きがいづくり協議会	市レベル
新規活動・事業，健生クラブ，地域ネット，セミナー・講師活動	
各種自主グループ	地域レベル
アドバイザー養成講座受講	
個別的な仲間・友達付き合い	個人レベル
アドバイザー養成講座終了　テーマ別グループ*	
個人	

三人称の生きがい：崩れにくい生きがい（社会）
二人称の生きがい：揺らぐ生きがい
一人称の生きがい：崩れやすい生きがい（個人）

生涯学習

＊テーマ別グループ：介護予防，団塊世代のライフデザイン，若者・シニアの就労支援，移送サービスなど

中嶌洋：地域社会における生きがいを目ざした生涯学習—健康・生きがいづくりアドバイザーの活動実践の分析．日本獣医生命科学大学研究報告，p.59, 80, 2010 より作成

図2-5 構造敷設テクニック（SLT）の例

生じた齟齬や距離をできるだけ小さくするためである．これを通して，「コミュニケーションによる妥当化（communicative validation）」が達成される．

　ちなみに，「半標準化インタビュー（semi-standardized interview）」というインタビュー形式も存在する．これは半構造化インタビューと同じカテゴリーでくくられるものではない．調査項目に対し，豊富な経験や知識を有している対象者にオープン・クエスチョン形式で自由に回答してもらうことで明らかな仮説を導くことに主眼を置く．加えて，それを言語化するためにさらにひと手間かける必要があるという仮説も含まれる．

11 観察法

　「百聞は一見に如かず」という故事成語がある。通常，インタビュー調査は，聞くことによって集められる多くの質的データを分析することに力を注ぐものである。ところが，聞き取りがうまくできない場合（言葉でうまく表現できない人，障害をもった人，あるいはその時々の体調・気分によってはデータを聴取しにくい人など）もある。この場合，見る（観察する）という行為は，聞くことを補うだけでなく，それ以上の情報を得ることにもつながる。そこで，観察法はデータ収集の有効な手立ての一つとなる。

　観察法は，対象者の活動への調査者の参加の度合いによって，「参与観察」と「非参与観察」に分けられる。

参与観察

　参与観察とは，調査対象者の生活やその地域に密着し，その集団の一員として生活や行動を共にしながら，調査者が自身の五感（視覚，聴覚，嗅覚，味覚，触覚）を働かせつつ，調査対象者の言動や特徴を注意深く観察することである。

　参与観察は，対象者たちの活動に深く関わるため，それについてかなり詳細かつ正確な情報が得られるという利点がある。反面，得られる情報の範囲や質が限定されてしまうという問題点もある。加えてある一定期間，調査対象者と生活や行動を共にしなければならず，時間，費用，労力，精神的負担など大きな代償を

払うことになる。

　最初から盲目的に「参与観察」と決めず，調査・研究の流れや途中経過などを考慮しながら，実施の可否を検討すればよい。典型例としては，少数民族の文化的特徴を調べる場合，彼らの居住地に一定期間住み込んで観察することで，内側から彼らの思考・慣習・様式・特徴などが把握できるだろう。しかし，それはその民族，その地方に限られたものにすぎず，得られる情報の範囲や質が限定されるという問題点がある。また，調査者がいる時といない時で，人々の示す態度や反応が異なることも懸念される。

非参与観察

　非参与観察は，調査者が第三者として対象をありのまま観察する行為をいう。当事者たちの活動や生活に深く関わらないあらゆる観察が該当する。

　非参与観察の場合は，参与観察ほど対象者に密着した情報は得られないが，より多くの機会と広い範囲での情報収集が可能になり，全体像がとらえやすくなるという利点がある。また，対象者

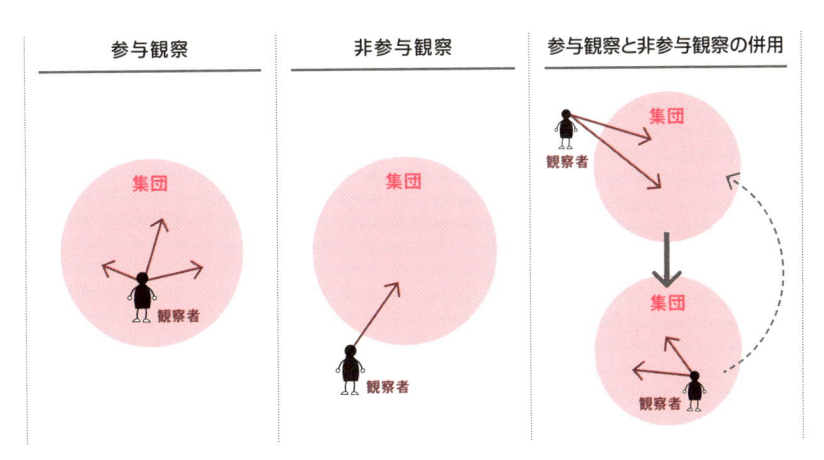

図2-6　参与観察と非参与観察

たちについてのより詳細な情報は，次のインタビュー方法と組み合わせることで，補うことができるだろう。

併用観察法

図2-6 に示したように，「非参与観察→参与観察」あるいは「非参与観察→参与観察→非参与観察」などと適宜併用することで，研究の進捗具合に応じたデータをより深く収集することも可能となるだろう。

スキーの滑り方を学ぶには，「実際に滑ってみてわかること」（参与観察）と「見物することでわかること」（非参与観察）の両方が必要であるように，ある物事を深く理解するためには多角的に見る必要がある。当事者側の立場からとらえようとする参与観察には，視界の狭さやデータの偏りが懸念され，第三者の立場からとらえようとする非参与観察には，情報の薄さや調査の単発化が危惧される。それゆえ，各々の弊害を軽減する両者の併用は意義深い。まずは基礎練習として，どちらか一方のみにチャレンジするのはよいとしても，卒業論文や修士論文などを作成するには両者の併用という研究方法上の工夫が求められる。こうした併用観察法はどちらか一方の手法のみの活用では得られにくい，気づきや発見をもたらしてくれるという大きな利点がある。

非参与観察→

参与観察↑

Step 2 — 12 エスノグラフィック・インタビュー

周囲の観察や内側からの聞き取りを重視

　エスノグラフィーとは，文化人類学の研究に象徴されるように，人間社会や集団社会の文化・生活様式そのものを研究対象とし，それらを深くとらえるために行う行動観察法で，質的研究法の一つである。この方法の特徴は，調査者が明らかにしたい事柄について，長期間，公私にわたり人々の日常生活に関わり，そのなかで見たこと，聞いたこと，感じたこと，考えたことなどをすべて集め，研究成果に組み込む点である。参与観察に似ているが，ただ単に参加し観察するだけではなく，積極的に探究し，潜在化した事実や思想を掘り起こす。時にはタブーと呼ばれる事柄や領域へのアプローチも検討する。

　したがって，エスノグラフィック・インタビューとは，一連のうちとけた会話を取り入れながらも，調査者の観察・思考・判断に基づき，調査者が体験したすべての事柄が研究成果に反映される調査法であり，少しずつ新しい質問を相手に投げかけていくことで，より幅広く，より深い回答を得ようとするものである。

　周囲の観察や内側からの聞き取りを重視するエスノグラフィック・インタビューは，単に調査・研究のみならず，技術刷新，商品開発，高度なニーズ充足など，多くの場面で導入されつつあり，「Human-Centered Design（HCD，人間中心設計）」という観点からも注目されるものである。

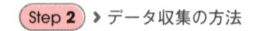

ただし調査・研究だからといって，どのようなものにでもアプローチし，強引に引き出そうとする姿勢は好ましいとはいえず，研究者としての良識や倫理を十分に兼ね備えた人が着手すべき方法ともいえる。初学者の場合は，所属機関や学会等の「研究倫理規定」を十分に参照しながら取り組んでほしい。

エスノグラフィック・インタビューの実践

　実際に，エスノグラフィック・インタビューをどのように実践すればよいのか。それは 図2-7 に示したとおり，「読む」「考える」「見る・話す」「問う・聴く」「考える」「問う・聴く」といったことを繰り返し，新しい要素や情報を適宜入れながら，課題解明に近づいていくことである。

　そのアプローチは，同じテーマであっても研究方法上，調査者の得手・不得手があるため千差万別だろう。仮にそのスタート地点が「記録文書・資料の精査」であったとしても，文字データから問題意識・研究課題を抽出し，非参与観察によって問い，質的データを収集する。さらに，逸話を引き出すために，人々の生活・人生を語ってもらうナラティヴ・インタビュー［参照：Step2-13, p.56］を用いて論点を掘り下げ，焦点化し，集中インタビューなどにより，徹底的に聞き取りを行うことで課題を解明していくことも考えられる。

　この方法は，社会や集団に焦点化し，それらの行動パターンを構造化する信念，価値観，態度を明確にし，記述する際に有効である。ただし，どのような倫理的配慮を行ったのか，どのような理由で研究範囲を決めたのか，どのような手順で研究を進めたのかについて逐一明記する必要がある。

Ⅰ	読む	・記録文書・資料の精査（資料分析）
Ⅱ	考える	・問題意識の明確化 　要点の抽出
Ⅲ	見る 話す	・非参与観察 　要点を踏まえたうえでの打ち解けた会話
Ⅳ	問う 聴く	・語り（ナラティヴ）を引き出すための質問 　半構造化インタビュー
Ⅴ	考える	・論点の明確化
Ⅵ	問う 聴く	・集中インタビュー（焦点を絞る） 　インタビュー調査の徹底（多角的に）
Ⅶ		・課題解明 　解明に近づく

図2-7 エスノグラフィック・インタビューの進め方

13 ナラティヴ・インタビュー

新たな物語を導き出す方法

　ナラティヴ・インタビューとは，主にライフヒストリー研究で使用される方法である。これは，地域社会に見られる権力構造と決定プロセスに関する研究プロジェクトのなかで開発されたものであり，データ収集の際の基本原則は，対象者自身が体験したこと，思考したことを率直に，即興的に語ってもらうことである。ただし，調査者はその回答の数々が何らかの一貫した物語として，最初から最後までつながるように語りを引き出す工夫をしなければならない 表2-6 。とくに，ここでの物語とは，単なるストーリーではなく，ナラティヴすなわち対象者の語る「人生の物語」としてとらえる。偏重，歪曲のほか，誤った解釈を含むストーリーに対し，ナラティヴ・インタビューによって事実経過が明確となるため，真実か否かがはっきりしてくる面もある。「人生の経過のプロセス構造」 図2-8 とよばれるが，その人の実生活や実体験を具体的に引き出すことにより，より正確な理解・把握を可能とするのである。

　たとえば，オリンピックをめざし陸上競技を頑張っていた優秀な選手が，交通事故で車椅子生活を余儀なくされ，自暴自棄の状態にあるとする。中学，高校，大学，実業団と一貫して陸上に捧げてきた人生が終わってしまったと本人は思っているかもしれない。しかし「走れなくなった」という事実は少しずつ受容しなけ

ればならない。ここで見方を変えると,「対象者がこれまで陸上競技を続けてこられたのはどうしてだったのか」という問いが生じる。

ナラティヴ・インタビューでは,これまでの人生を振り返り,彼・彼女から語りを引き出すことである。それは「周囲の支えがあったから」「ライバルの存在があったから」「苦しい練習を乗り越えてきた体験があったから」「両親の愛情があったから」など,多様な回答を得ることをめざす。こうした結果,陸上競技による成功物語だけがすべてではなく,人生の成功物語や新しい展開をもたらす物語の想起につながると考えられる。

このように,ナラティヴ・インタビューは,対象者の語りを基盤とし,冷静に自分の人生を振り返ることで,そこから本人すら気づかなかった出来事・体験の思い出を積み重ね,新たな人生の物語を導き出す方法といえる。

表2-6 ナラティヴ・インタビューにおけるナラティヴ生成のための質問例

- 幼少時代のあなたとご家族との思い出を自由にお話しください
- あなたの人生の物語がどのように変遷したかをお話しください
- 東日本大震災で体験したことについて,あなたの人生を振り返りながら,自由にお話しください
- 看護実習の体験を振り返り,感じたこと,考えたことを実習の初日から最終日までお話しください
- 発展途上国であるX国でのボランティア活動について自由にお話しください
- サークル活動を通してさまざまな世代の人々と関わることで,どのようなことを感じたかをお話しください

Step 2 ▶ データ収集の方法

📝 ナラティヴ・インタビューの進め方

　具体的には，図2-8で示した手順で進められる。まず，対象者から語られたさまざまな事柄（語り1〜4）を時系列に並べることで事実の全体を整理する。とりわけ，歴史研究などの場合には年表を作成し，前後関係を明確にすることも次なる研究や発展のヒントを見出せるため，重要である。その後，エピソード・インタビュー，すなわち，通常の表面的な聞き取りに留まらずに逸話を引き出し，対象者自身すら自覚が十分でなかった事柄も明確にする。さらにその事柄を表と裏の両面からとらえなおすことで，対象者の人生の物語全体がより厚みを増す。こうすることで，人間の内面・思想・哲学や，対象者による質的データが厚みを増して把握でき，研究がさらに深まるだろう。

```
┌─────────────────────────────┐
│   語り2  語り1  語り4  語り3  │
└─────────────────────────────┘
              ▼
┌─────────────────────────────┐
│ 時系列に並べる                │
│  → 語り1 語り2 語り3 語り4 → │
│    人生の経過のプロセス構造    │
└─────────────────────────────┘
              ▼
┌─────────────────────────────┐
│ ライフヒストリー（人生史・生活史）│
│        年表作成               │
└─────────────────────────────┘
              ▼
┌─────────────────────────────┐
│ → 語り1 語り2 語り3 語り4 → │
│ エピソード・インタビュー（逸話を引き出す）│
│      論証と理論の示唆          │
└─────────────────────────────┘
              ▼
┌─────────────────────────────┐
│      語り1 2 3 4              │
│ 人生・生活全体を表と裏の両方からとらえる │
└─────────────────────────────┘
              ▼
┌─────────────────────────────┐
│ 人物の内面・思想・哲学への探究   │
│        研究の深まり            │
└─────────────────────────────┘
```

図2-8 ナラティヴの構造と展開

Step 2 / 14 フォーカス・グループ・インタビュー

新たな物語を導き出す方法

観察と洞察が同時に進められる調査

　インタビュー調査では，4～8人前後のグループ・インタビューを行うこともある。ある事柄について記憶が曖昧な場合，数人の対象者に集まってもらい，互いに回想しあうなかで一つの共通した過去のエピソードを引き出す。あるいは，対象者がインタビュー調査に慣れていない場合に，数人に集まってもらい，座談会形式で聞き取りをすることもある。

　ただし，グループ・インタビューの場合，調査者には単なる質問者の役割だけでなく司会者，ファシリテーター（促進者），モデレーター（観察者）といった，情報を効果的に引き出すいくつかの役割が同時に求められることを忘れてはならない。

　近年，注目されてきているフォーカス・グループ・インタビュー（Forcus Group Interview，焦点インタビュー：以下，FGI）は，特定のトピック・課題を深く掘り下げるために，その目的に適したメンバーを意図的に集め自由に意見を出してもらうというグループ・インタビューの一種である 表2-7 。

　その種類としては，研究テーマ・内容が専門特化したものなのか，多分野にわたる学際的なものなのかによって分類できる 図2-9 。たとえば，テーマが看護に特化した場合であれば，看護のプロパーによる専門的アプローチを採用し，逆に，テーマが福

表2-7 フォーカス・グループ・インタビューの質問例

- 最近ご覧になったニュースで，最も印象に残ったものは何ですか
- 自分の健康を脅かすリスクとしてどのようなものが挙げられますか
- 「赤ちゃんの取り違え」事件について，どのような考えをおもちですか
- あなたがこれまで知らなかったことで，テキストの『看護概論』から学んだことは何ですか
- 小児看護の授業内容へのあなたの感想はどのようなものですか
- 働きながらボランティア活動をするうえで，必要なものは何だと考えますか
- 生きがいを増幅するために必要なグループ活動とはどのようなものだと思いますか

専門特化している場合
専門的アプローチ

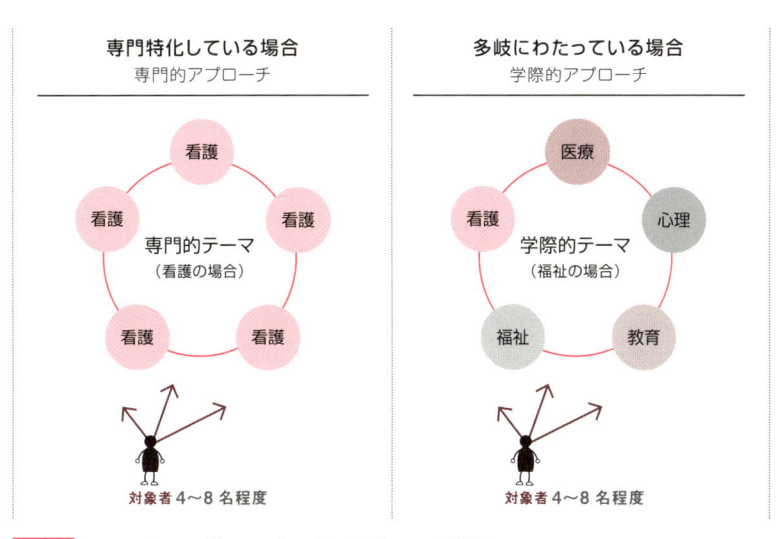

看護／看護／看護／看護／看護
専門的テーマ
（看護の場合）
対象者4～8名程度

多岐にわたっている場合
学際的アプローチ

医療／心理／教育／福祉／看護
学際的テーマ
（福祉の場合）
対象者4～8名程度

図2-9 フォーカス・グループ・インタビューの種類

Step 2 ▶ データ収集の方法

祉と他職種との連携など，学際的なテーマの場合は，コンサルテーションのように多職種による話し合いという形をとる。

　たとえば，過疎化が進むある地域において，「世代間交流」を進めようとする場合，学生と地域の高齢者を8〜12人集め，自分たちの思い・考えやほかの世代に求めたいことなどに集中してインタビューする手法がFGIである。司会者にはファシリテーターとしての役割が期待されるが，グループ・ダイナミックス（集団力学）により，新たなニーズや斬新な発想が生まれる可能性がある。場合によっては，ほかの世代に対し拒否的な立場を想定したうえでFGIのメンバーがミーティングに参加することで，自分たちの世代の課題を浮き彫りにすることも考えられる。

　つまりFGIは，その場のメンバーたちの貴重な意見やアイデアの収集に留まらず，それらに対する反応や課題をも見つけることができ，ある特定のテーマに関し，聞き取りと観察・洞察を同時に進められるところに特徴がある。

フォーカス・グループ・インタビューの留意点

　FGIを実施するうえでの留意点として，グループ規模をどう設定するか，事前準備をいかにしておくかという2つが挙げられる。

　グループの規模は4〜8人程度が好ましい。つまり，あまり大きいグループ（20人以上）では意見のばらつきが目立ってしまい整理・分析がしにくくなること，話が横道に逸れやすいこと，論点が焦点化しにくいことなどが問題点として指摘できる。あまりにも小さいグループ（3人以下）の場合，活発な論議が展開されないこと，遠慮がちになること，特定の対象者が会話の主導権

を握り終わってしまうことなど，普遍性の欠如が考えられる。一方，大きめのグループではこのような問題が多少生じても，グループ全体への影響は相対的に小さいと考えられるが，結果的に全体の相互作用が妨げられる。グループの規模が決まれば，通常，必要とする人数よりも2割増しで対象者を募る。こうすることで当日欠席などのアクシデントにも対応できる。

　一方，事前準備では物心両面の準備を心掛けたい。物質面では，記録機器（ICレコーダ，デジタルカメラ），機器用マイク，電池（予備を含む），研究趣旨の説明文，研究者用の筆記用具，名刺，簡単な質問事項を書いた用紙，謝礼などを用意する。精神面では，大勢の協力者それぞれへ感謝の気持ちをもつこと，グループ・インタビューだからといって必要以上に緊張せず，平常心を保つことである。また司会者，ファシリテーター，コーディネーターなど，一人何役も務めることになるので，柔軟性も必要である。いずれも，人数が多い分，不測の事態に備え，何事にもゆとりをもった準備・対応が求められる。

参考文献

1) S・Bメリアム（著），堀薫夫，久保真人，成島美弥（訳）：質的調査法入門—教育における調査法とケース・スタディ．ミネルヴァ書房，2004
2) N・K・デンジン，Y・Sリンカン（編），平山満義（監訳），岡野一郎，古賀正義（編訳）：質的研究ハンドブック1巻　質的研究のパラダイムと眺望．北大路書房，2006
3) ウヴェ・フリック（著），小田博志，山本則子他（訳）：質的研究入門〈人間の科学〉のための方法論．春秋社，2002
4) 川村隆彦：ソーシャルワーカーの力量を高める理論・アプローチ．中央法規出版，2011
5) 木下康仁：グラウンデッド・セオリー・アプローチ　質的実証研究の再生．弘文堂，1999
6) 木下康仁：ライブ講義M-GTA　実践的質的研究法　修正版グラウンデッド・セオリー・アプローチのすべて．弘文堂，2007
7) 古谷野亘，長田久雄（編著）：実証研究の手引き　調査と実験の進め方・まとめ方．ワールドプランニング，1992
8) 関口靖広：教育研究のための質的研究法講座．北大路書房，2013
9) 中嶌洋：地域社会における生きがいを目ざした生涯学習—健康・生きがいづくりアドバイザーの活動実践の分析．日本獣医生命科学大学研究報告第59号，71-85，2010
10) 中山正雄（編）：実践から学ぶ社会的養護の内容．保育出版社，2011
11) 林芳治：事例から学ぶ福祉・介護専門職のためのアセスメントのポイント．みらい，2010

Step 3 データの分析方法

- **15** 信頼性と妥当性
- **16** トライアンギュレーション
- **17** グラウンデッド・セオリー・アプローチ
- **18** エスノグラフィー
- **19** KJ法
- **20** 絶えざる比較法
- **21** KH Coder による分析
  - **COLUMN** KH Coder による分析の実際

Step 3 / 15 信頼性と妥当性

　質的研究に限らず，いかなる研究においても担保されなければならないものが信頼性と妥当性である。

　信頼性とは，同一条件下では常に同じ結果が得られ，その結果が時間の経過を経ても安定しており，同じ時点で異なったデータ収集のツールを用いても結果が一貫していることである。とくに，異なる方法で一貫した結果を引き出すことは，「共時的な (synchronic)」信頼性とよばれ，重要であるが，この基準を常に満たすことは難しい。しかし，この基準を満たさなかったから，信頼性が低いと済ませるのでは研究は先に進まない。なぜそうなったのかを問い，異なる視点や方法によって，原因を多角的に検証することが，研究意義を深め，信頼性向上への手掛かりを得るうえで大切である。

　表3-1 に信頼性ならびにその類似概念について整理した。本書での，質的研究における信頼性は，単なる反復や再現ではなく，検証を重ねることで，データの質や研究の精度が高まるという観点に基づく。

　信頼性を担保するために，フィールド・ノートや絶えざる比較法［参照：Step3-20, p.88］などがあるが，単に信頼性といっても，それは信頼性の三側面に分けて検討しなければならない。

表 3-1 信頼性・妥当性および類似概念

信頼性	・得られた質的データを，観察者・被観察者を区別して見直しを行い，記録していくなかで高まってくる質的データそのものに対する評価基準のことであり，同一条件下では時間の経過に左右されず，一貫した結果が得られる
妥当性	・研究者が研究対象や事象を観察し，それがいかなる根拠や透明性をもって成立したのかを検証することで高まる質的データに対する評価であり，結論が前提から正しく導き出されること
正当性	・学問的知の有効性を論じることの意味
科学性	・一定の対象を独自の目的・体系的な方法で研究できること
信憑性（真実性）	・情報や証言などの信用してよい度合い
客観性	・誰もが納得できる性質
反復性	・何度も繰り返すことが可能
透明性	・制度・組織のなかにおける意思決定過程のわかりやすさ
再現性	・事象が再現すること ・対義語は「単回性」
代表性	・あるサンプルもしくは事例が，それが抽出・選出された全体的な調査対象群と母集団との間で大きなずれがないこと

ウヴェ・フリック（著），小田博志，山本則子他（訳）：質的研究入門 〈人間の科学〉のための方法論．春秋社，2002 より作成

Step 3 ▶ データの分析方法

> **信頼性の三側面**
>
> **1. インタビュー・データの信頼性**
> インタビュー法を習得する，インタビューガイドを作成する，生成質問を点検する
>
> **2. 観察の信頼性**
> フィールドに入る前の段階で観察のリハーサルを行う，定期的に観察を見直す
>
> **3. データ解釈の信頼性**
> データ収集のほかに，調査者間で解釈手続きやコード化方法に関する相互了解を得る

さらに，信頼性の三側面の各々に対し，「観察者側の概念」(問題関心や研究テーマに基づきながら，明らかにしたい事柄との関わりに注視すること)と「被観察者側の概念」(研究者の関心事や研究テーマによるのではなく，被観察者自身の思考・体験を重視すること)に区別して整理する必要がある。

妥当性を高める際の具体策には，同分野あるいは他分野の研究者，実践家が，各々の専門的知見をもとにデータを確認するメンバー・チェックや研究全体のフィードバックなどがある。質的データの検証において，前提条件から結論を導き出したプロセスを調べるうえで重要である。これは，以下に示す研究手続きの各段階において，適宜実施されることが望ましく，点検や見直しの際に可能な限り行うとよい。

- 研究者はフィールドにおいて，可能な限り聞き役に徹する
- より正確にフィールド・ノートを作成する
- フィールド・ノートや報告は他者が理解できるような形式で記録する
- 研究者は研究結果やその結果に対するフィードバックを求める
- 研究結果の提示はバランスをとりながら正確に行う

このように，信頼性や妥当性の検討は，研究全体のプロセス，およびそれを構成するさまざまな部分と関連づけて論じられるものであり，そのつど行うべきである重要なプロセス評価である。

16 トライアンギュレーション

　どのような調査方法や分析方法であっても，全体像をくまなくとらえることは難しい。得られた結果への確証を得るには，異なる複数の方法によって調査結果を相互比較し，検証することが必要である。こうした各方法がもつ短所を補強し，長所を伸ばそうという発想にもとづいたものがトライアンギュレーション（三角測量的方法，方法論的複眼）である 表3-2 。従来，トライアンギュレーションは地形の測量方法を示す概念であった。質的研究ではこれを転用し，ある対象を研究する時に，複数の研究方法，理論的背景，データ源，研究者などを組み合わせて用い，より多角的・包括的かつ妥当性の高い知見を得ようとする調査デザインを示す。そして，複数のルートからデータを提示して，トライアンギュレーションを経た分析結果であることを明示することで，説得力が強化される。

　たとえば，ある研究テーマに対して，一つの方法のみで取り組むよりも，資料を読み込み，関係者へのインタビュー・観察を行い，他の類似した研究結果や先行研究との比較をするなどの多様なアプローチを行うことで，データの質が高まる。

　また，トライアンギュレーションを経て，複数のアプローチで得られた情報に差異が現れた場合には，慎重な判断が求められる。なぜその違いが発生したのか，研究段階のどこに問題がある

表3-2 トライアンギュレーションの類型

類型	概要
データのトライアンギュレーション	異なる集団，異なるフィールド，異なる時期でデータを得る
研究者のトライアンギュレーション	2人以上の研究者がその研究に従事する
理論のトライアンギュレーション	1つの対象に対する研究で，異なった理論的見方を適用する
方法論のトライアンギュレーション ・方法論内トライアンギュレーション	1つの対象に対する研究で，異なった方法論を適用する 例 参与観察と自由回答の面接を1つの質的研究で使用する
・方法論間トライアンギュレーション	ある特定の方法で集められた知見を別の方法によって確かめること 例 構造化インタビューをする際，その妥当性を確かめるために非構造化インタビューを行う

のかなど，その原因究明は重要であり，誤りが明らかになれば速やかに修正し，適切な方向性を再考しなければならない。原因究明には，専門家同士による相談（コンサルテーション）と，専門家と非専門家による相談（カウンセリング）とがあるが，質的研究におけるトライアンギュレーションでは前者を用いることが多い。

さらに，各種の調査方法の特徴を理解したうえで，どのようにして複数の技法を戦略的に組み合わせていけばよいかについて，佐藤郁哉（2006：145）が「戦略的トライアンギュレーション」として，以下の4点を挙げている。

Step 3 ▶ データの分析方法

1. **研究課題について，その課題や対象に適切な研究方法を十分に検討する**
2. **研究方法には，それぞれ短所と長所があることについて理解しておく**
3. **研究方法を選択する際には，どのような理論的視点にとって有効であるかについて理解しておく**
4. **研究計画の柔軟性を維持するよう心掛ける**
   ⇒場合によっては研究対象へのアプローチの仕方や方法の変更，概念図の再構築，あるいは研究そのものを最初からやり直す必要が生じる可能性があることを常に念頭におく

　質的研究におけるトライアンギュレーションは，質的方法と量的方法とを組み合わせることも意味する。ここでは，両者の相補関係が重要であり，個々の事例・実例に基づき，柔軟な判断が求められる。このように，ある視点・側面に対し，複数の方法，複数の観点，複数の専門性を交差させながら，各々がもつ限界を超え，その実像を浮き彫りにすることがトライアンギュレーションの目的である。

質的研究と量的研究の統合

　図3-1では，質的研究と量的研究とを統合する研究デザインの4パターンを示している。通常は，Ⅱのように質的研究を続けながらも，時折，量的研究を行う形や，Ⅳのように量的研究を行い，問題意識や研究課題を焦点化したうえで質的研究を実施し，再度，量的研究で確認する形が多いが，必ずしもこの限りではない。たとえば研究テーマや追究すべき課題が明確になっていない場合，Ⅰのように質的研究と量的研究を同時に行い，さまざまな情報を収集することでテーマを明らかにする方法がある。また，

I

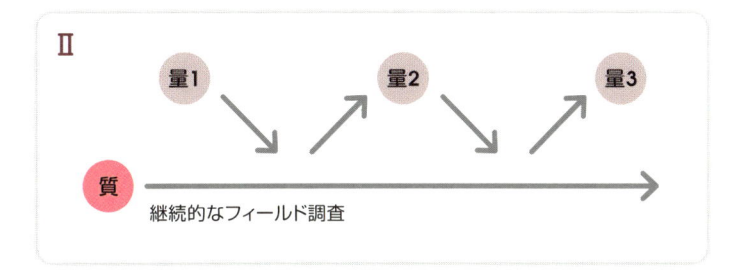

質 質的・量的データをともに継続的に収集
量 →　→　→

II

量1 → 量2 → 量3

質 ────────────────→
継続的なフィールド調査

III

質　　　量　　　**質**
────────────────→
聞き取り調査　　質問紙調査　　結果の精査と評価

IV

量　　　**質**　　　量
────────────────→
事前調査　　フィールド調査　　実験

図3-1 質的研究と量的研究を統合する研究デザイン

Step 3　データの分析方法

　5年以上などの中長期間で調査を行う場合には，Ⅲのように質的研究，量的研究の順で行い，その結果を深めるために，再度，質的研究を実施するという形もあり得る。研究テーマ，研究の進捗状況，課題などを考慮し，どのようにアプローチすれば，課題解明に近づけるかということを各自が考え，選定していくことが大切である。

　なお，量的研究では，全体像や断面をとらえやすく，質的研究では文脈や背景をとらえやすいという特徴がある。

17 グラウンデッド・セオリー・アプローチ

　グラウンデッド・セオリー・アプローチ（Grounded Theory Approach：以下，GTA）は，質的研究方法の一つで，米国の計量的研究者のB・グレイザーと，エスノグラフィー研究者のA・ストラウスとの共同で考案された。

　エスノグラフィー［参照：Step3-18，p.78］などの質的研究方法と同様に，データ収集と分析の主体である調査者は，帰納的なスタンスのもとにデータから意味を引き出そうとする。このタイプの質的研究方法の最終結果は，データから創出された，あるいはデータに「根ざした（grounded）理論構築」にあるため，GTAと呼ばれる。

　実践化しがたい理論レベルに留まっていた従来のグラウンデッド・セオリーやデータ分析に終始するKJ法［参照：Step3-19，p.84］とは厳密には異なるものの，データの分類と結合による概念生成という点では似ているので，いずれにも通ずる手順として説明する。

　この方法は，一般事項と特殊事項の双方を含むあるテーマに関

> 　GTAは，ストラウス版とグレイザー版に二分していったが，ストラウスが看護系学部の教員を長く勤めたことから，健康科学領域でストラウス版が多用される。わが国では，木下が修正版GTAを開発し，社会福祉学領域における質的データ分析法の主要な一つとなっている。だが，戈木ら（2006）によれば，本来のGTAとは大きく異なるものであるという指摘もある。ともあれ，質的研究法のなかでは比較的手続きが構造的に整理され，近年注目されている（岩田ら 2006：167）。

し，共通した一般事項を集める普遍化と，例外的な特殊事項をまとめる特殊化を前提としている。そして，普遍的な事柄からより個別的・特殊的な結論を導き出そうとする「演繹的な思考」と，特殊な事柄から一般法則を見つけ出し，普遍的な結論を得ようとする「帰納的な思考」の双方を繰り返すことで，一般法則・科学的知見を得ることである 図3-2 。さらにこの知見から，これまでに想像できなかった考え方や法則を見つけるという「閃き的思考」につながることもある 図3-3 。

```
テープ起こし（逐語記録の作成）
  ↓
データの読みこみ（複数回）
  ↓
データの切片化
  ↓
切片化されたデータの結合（一般事項と特殊事項の分類）
  ↓
図解化（コード間の関係図，普遍化⇔特殊化，一般法則・科学的知見の獲得）
  ↓
文章化（一般法則・科学的知見の説明）
  ↓
メンバー・チェックとピア・チェック
  ↓
分析・成果発表・評価
```

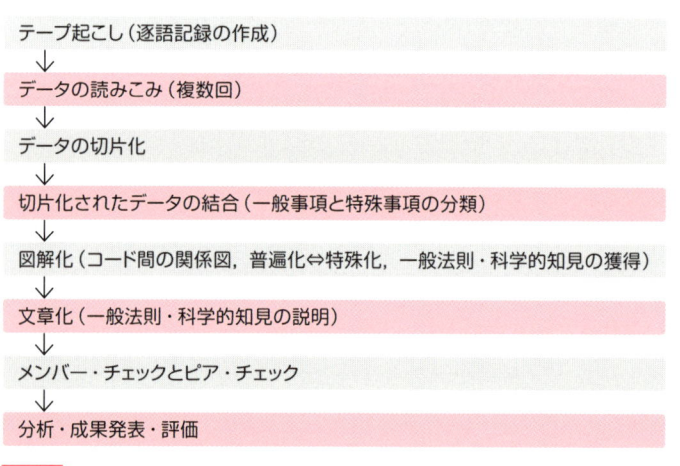

図3-2　GTAの基本的な進め方

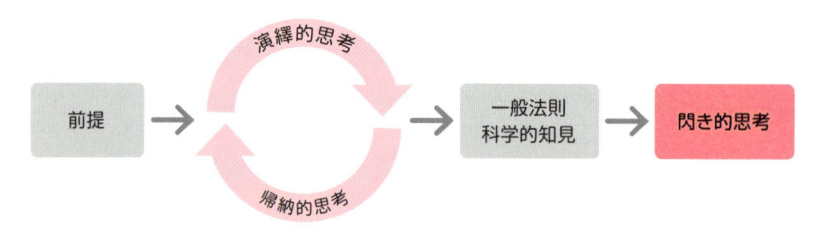

前提 → 演繹的思考／帰納的思考 → 一般法則 科学的知見 → 閃き的思考

図3-3　帰納的思考と演繹的思考を繰り返すことで生み出される閃き的思考

コードとカテゴリー

　質的研究では，語られた内容（文章）はそのままでは分析しにくい。そこで文章を構成する概念（コード）を抽出し，各文章に対してコードを割り当てていく（コーディング）。さらにその上位概念であるカテゴリーごとにコードを分け（カテゴリー化），抽象化のレベルを上げていく。こうすることで一般法則，科学的知見へと近づく。

　ポイントは，カテゴリーについての構造的側面とプロセス的側面に分けて，各々の特性を分類し，カテゴリーと特性のチェックに着目することである。ここでいう「構造的側面」とは特性の構成要素の共通性に注目するとらえ方であり，特性の構成要素のつながり方や流れに注目するとらえ方のことである 図3-4 。

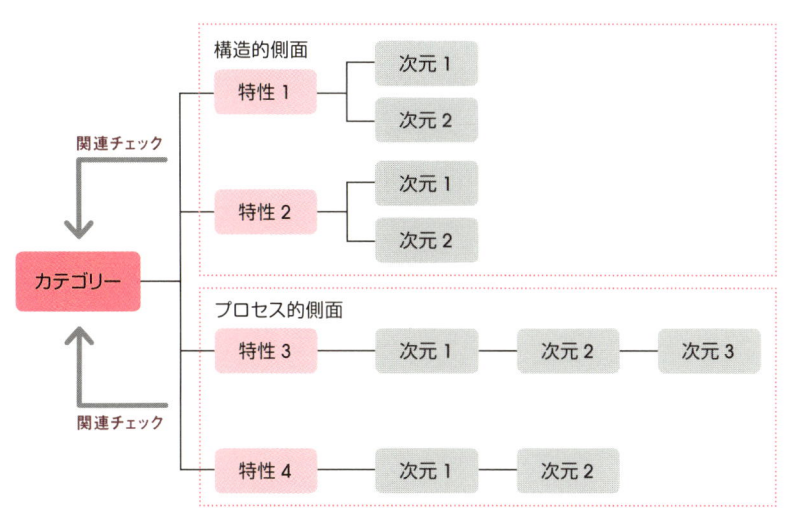

関口靖広：教育研究のための質的研究法講座，北大路書房，p.122, 2013 より一部改変

図3-4　GTA におけるカテゴリーの生成とそれらの階層的関連づけ

そして，ある程度この作業が進めば，コード間の関係性を把握するため図解化し，これをもとに文章化する。その後，結果を対象者（被観察者）に確認する「メンバー・チェック」と，研究仲間やスーパーバイザー等の意見を仰ぐ「ピア・チェック」を行ったうえで，その分析が対象者一人単位なのか，対象者全員分なのかを峻別しながらまとめていく。

GTAにおける思考

　GTAにおける思考を深めるプロセスを具体的にみてみよう。GTAではまず分析テーマと分析焦点者を設定しなければならない。たとえば分析テーマを「介護職による生活場面設定が利用者の『もてる力を高める』プロセス」とし，分析焦点者を介護職と位置づける。さまざまな語りの中で生成される概念であり，まず「今日は体調も天気もいいから散歩に行こう」→「そうだね。廊下だけでも」→「じゃ，着替えをどうしましょう」→「お似合いですね」→「散歩がおっくうでなくなりました」→「表情が明るくなりましたよ」という利用者の発言の変化やバリエーションに着目する。

　最初に注目したこのバリエーションとともに，類似側や対極側に相当するほかのバリエーションを追加する。そして，これらのバリエーションをコーディングし，カテゴリー化した結果，「生活環境・関係性の構築」「知覚の活性化」「行動への働きかけ」「肯定的感情の醸成」「意思・価値観の尊重」など，カテゴリーが得られ，これらが分析テーマである「介護職による生活場面設定が利用者の『もてる力を高める』プロセス」を構成する要素となる。

✎ 分析段階による違い

　なお，GTAによる分析は，分析段階によってコーディングの目的，発問の仕方，サンプリング手続き（理論的サンプリング）が異なる 表3-3 。本書では，研究分析の段階ごとに「オープン・コーディング」「軸足コーディング」「選択的コーディング」の3つに分類している。事例・カテゴリー同士の比較から，類似性や共通事項を見出していく初期段階を経て，各々の特徴やつながりを探求する中期段階に至り，さらに仮説を検証したり，理論を構築するためにデータを選択し，その整合を図る最終段階へと進むことになる。いずれも，自身の問題意識や関心，研究の進捗度などにもとづき，そのつど，方向性や手法を再確認しながら進めるという創意工夫が求められる。

Step 3 ▶ データの分析方法

表3-3 GTAにおけるカテゴリーの生成とそれらの階層的関連づけ

コーディングの種類	オープン・コーディング	軸足コーディング	選択的コーディング
主目的	・カテゴリー，特性，次元を生成する	・カテゴリー間の関連性を探る，カテゴリー，特性，次元を階層的に組織化する	・仮説および理論を生成し精緻化する
時期	・分析初期～中期	・分析中期	・分析中期～終期
分析手続き	・事例同士の比較 ・カテゴリー同士の比較	・事例同士の比較 ・カテゴリー同士の比較 ・構造とプロセスの関連づけ	・中心的カテゴリー（メインテーマ）の同定 ・中心的カテゴリーと他のカテゴリーとの関連づけ（次元レベルで暫定的仮説を生成する） ・仮説，理論の精緻化（妥当性を高める）
発問の仕方	・5W1Hを問うもの（これらにより，カテゴリー，特性，次元を指し示すデータを探っていく）	・特定のカテゴリーについて5W1Hを問うもの ・カテゴリー間の関係を問うもの／構造（why）とプロセス（how）を関連づけていく	・中心的カテゴリーを同定したり，それによる関連づけを促進するもの ・仮説・理論の論理的整合性に関するもの ・仮説・理論とデータとの整合性に関連するもの
サンプリング手続き（理論的サンプリング）	・オープン・サンプリング ・研究課題に関係がありそうな事例を探して，データを採って比較する。カテゴリー，特性，次元が浮かび上がってきたら，それらが関わっていると思われる事例を探す	・関係・バリエーションのサンプリング ・1つのカテゴリーについてその特性が異なると思われる事例を探して比較。そして特性・次元に多くのバリエーションを調べあげる ・複数のカテゴリーについてそれらの関係を調べるため，それらカテゴリーが同時に関わっている事例を探し，比較する。そして，複数のカテゴリーを次元レベルで関連づける仮説を生成していく	・限定されたサンプリング ・比較分析を最大限進めていく ・負の事例の探索 ・理論的飽和をめざす 　1) カテゴリーが出尽くした 　2) 特性・次元が十分に洗練された 　3) 仮説も妥当性が高まった

関口靖広：教育研究のための質的研究法講座．北大路書房，p.125，2013より一部改変

Step 3 / 18 エスノグラフィー

　エスノグラフィーとは，人間・精神・社会などの数値化しにくい事象を研究する方法のことである 図3-5 。エスノグラファー（エスノグラフィー研究者）は，長期にわたり対象者の日常生活に関わり，関心のあるテーマを解明するために，入手できるデータはどのようなものでも集めるのが基本姿勢とされる。つまり，エスノグラフィーとは，文化や日常生活のなかの社会的規則性に焦点を当てるものであり，結果的に豊かで厚みのある記述としてまとめやすい。その方法は，あらゆる情報・観察結果の概念的・理論的な意味についてはとらわれずに，それらを整理し，意味を見出すことである。

　ただし，エスノグラフィーでは，データ収集の方法が二次的であり，研究方法が恣意的になる可能性が高いという難点があり，トライアンギュレーションは欠かせない。また，文化や生活など，多様な事象にアプローチしなければならず，研究の継続性が求められる。図3-5 に示したように，基礎を理解し，調査を実施し，研究結果を社会へ還元するという大きな流れでとらえることができ，必要なデータをあらゆる手法を駆使して入手するという姿勢が基本となる。こうして得られたデータは，構造化された表，概略図や樹状図，フローチャート，決定表（decision tables），円の重ね図，星状図（中心に一つの概念を据え，周辺に関連語を配置），因果連鎖やネットワーク図などの，調査者の思考をあらゆる図表で描写することが望ましい。つまり，エスノグラフィー

Step 3 データの分析方法

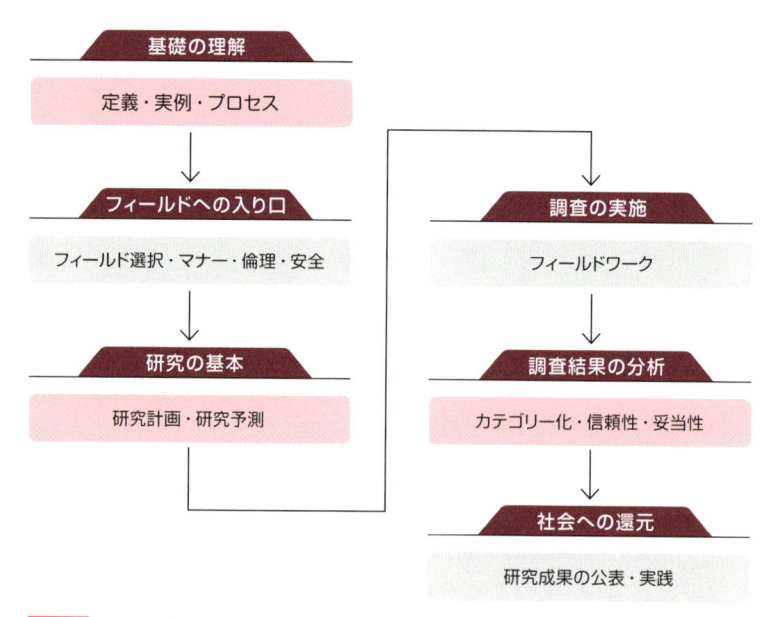

```
基礎の理解
  ↓
定義・実例・プロセス
  ↓
フィールドへの入り口
  ↓
フィールド選択・マナー・倫理・安全
  ↓
研究の基本
  ↓
研究計画・研究予測
  →
調査の実施
  ↓
フィールドワーク
  ↓
調査結果の分析
  ↓
カテゴリー化・信頼性・妥当性
  ↓
社会への還元
  ↓
研究成果の公表・実践
```

図3-5 エスノグラフィーの流れ

　研究は，こうした分類体系や「認知マップ」を使って，社会・文化的パターンに関するデータをまとめ上げ，一つの分類体系の構成要素を比較することによって，暫定的な仮説・説明へとつなげようとするものである。近年ではこの方法を用いたインタビューや災害対策が講じられ始めている。

　エスノグラフィーを用いたインタビューを参考に行ったフィールドワークのプロセスを示したものが図3-6である。人々の日常生活の中から行動・思考のパターンを読み取り，カテゴライズしたうえで，各々のカテゴリーの特性を明らかにすることを通じ，法則・知見を得る。

　エスノグラフィーとは本来，特定の民族の生活様式や文化を，研究者が細かく記した記録物をさし，「民族誌」と訳される。民

族研究者によって蓄積された膨大な資料を体系的にまとめたものが民族学という学問である。

このような学問体系でなくても，何らかの出来事・体験を記した記録物を集約し，それを手掛かりに実践したり語り継いだりすることもエスノグラフィーに該当する。たとえば「災害エスノグラフィー」とは，大災害の現場に居合わせた人々の証言をもとに作成し，災害現場に居合わせなかった人々が，災害の疑似体験やそこから学ぶことのできる防災の考え方，これらの経験を語り継ぐ貴重な記録物のことである。

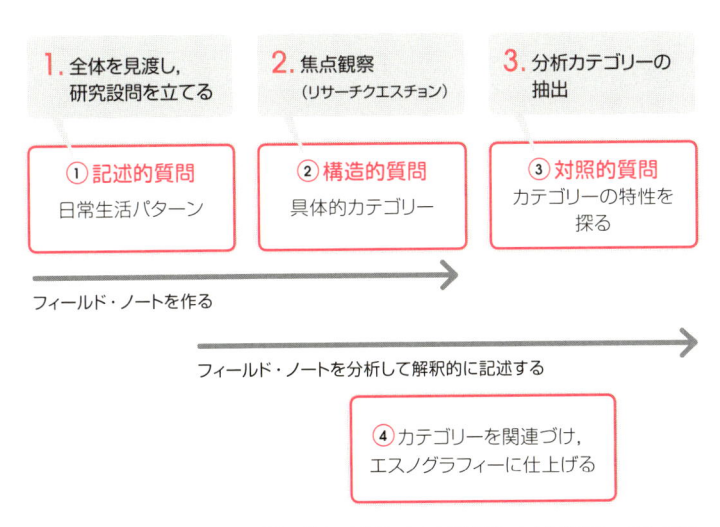

1. 全体を見渡し，研究設問を立てる
   ① 記述的質問　日常生活パターン
2. 焦点観察（リサーチクエスチョン）
   ② 構造的質問　具体的カテゴリー
3. 分析カテゴリーの抽出
   ③ 対照的質問　カテゴリーの特性を探る

フィールド・ノートを作る

フィールド・ノートを分析して解釈的に記述する

④ カテゴリーを関連づけ，エスノグラフィーに仕上げる

田中千枝子：社会福祉・介護福祉の質的研究法　実践者のための現場研究．中央法規出版，p.153，2013より一部改変

図3-6　エスノグラフィーを用いたインタビュー

Step 3 / 19 KJ法

　KJ法とは，データ整理方法の一つで，カード一枚につきデータを一つ記入し，分類・整理して解析する方法である（KJとは，考案者の川喜多二郎氏のイニシャルによる）。この手法は社会科学研究全般でよく用いられているが，その本質は意見やデータの分類というよりも，分類と集約をとおして，分析前には気づかなかった知見を得ることにある。

　すなわち，得られたデータを分類することを通じて，研究課題へのアプローチの仕方を思いついたり，過去に誰も気づかなかった問題点・要点を見出したりと，新たなことに着眼し，研究の道筋を明らかにしていくところに本来の意義がある。KJ法は，①カードの作成，②グループ編成（カード拡げ，カード集め，表札づくり），③図解化，④叙述化（文章化）が大きな流れである。

　KJ法はデータをグループ分けし，共通点，相違点，関連性などの観点から，グループの特徴やグループ間の関連性を観察し，そこから原則や本質を読み取る。一人の研究者が複数回行うことでもデータの分析は進められる。複数人で行う場合には進行役を設定し，進行役を変更してグループ編成を繰り返すと，主観や先入観を抑えた分析が可能になる。近年，ビジュアル・イメージ型学習が重視されてきており，その一つの典型例といえよう。

データ, コード, サブカテゴリー, カテゴリー

では，このKJ法を実践するとどうなるのだろうか。表3-4は，拙論「戦後日本の高齢者の『孤独な死』問題の変遷と特徴」（社会事業史研究，第42号，2012年）で用いた，コード，サブカテゴリー，カテゴリーの例示である*。孤独死を扱った60年分の新聞記事を分析し，26のコード，11のサブカテゴリー，3つのカテゴリーを抽出した。ここでは新聞記事を類似したものどうしで分類し，その特徴ごとにコードをつけ，さらにそれらをサブカテゴリーにまとめ「孤独な死」の解析データ，独居高齢者を巡る問題，「孤独な死」軽減策の3つに分類したものである。ここでは，表3-4のような結果を表示するだけではなく，必ずそこに至るまでの研究プロセスや限界，筆者の判断に依拠せざるを得なかった手続きなどについて，詳細に論じている。とりわけ，コード，サブカテゴリー，カテゴリーの分類では，単眼的な視点ではなく複眼的な視点のもとにとらえ直すことを重要視した。

KJ法では，グループ分けをする際，主観や先入観が入りやすいので，「データのトライアンギュレーション」や「研究者のトライアンギュレーション」[参照：p.71]などで客観性をもたせる必要がある。

---

*コードとは文章（語られた内容）を構成する概念のことであり，その内容を要約したものがキーワードである。これらのコードを類似性，共通性にもとづき大まかにまとめる作業をサブカテゴリー化といい，このサブカテゴリーを最大公約数的に絞り込むことをカテゴリー化という［参照：p.77］。

Step 3 ▶ データの分析方法

表3-4 コード・サブカテゴリー・カテゴリー例

カテゴリー	サブカテゴリー	コード	データの一部（要点・典拠）
「孤独な死」に関する統計データ	社会現象としての「孤独な死」把握	孤独死の実態	都内の孤独死1000人のうち60歳代が4割（1984.11.11(22)）
	独居高齢者自身の「孤独な死」に対する意識	ぽっくり思想	奈良の"ぽっくり寺"に集まる老人，願うはただ安らかな死（1974.9.15(22)）
		身近な孤独死	全国調査，孤独死「身近に感じる」64％（2010.4.3(33)）
		独居高齢者は孤独ではない	孤独ではない？下町老人，意外と多い「福祉訪問望まぬ」（48.8％）（1986.5.13(21)）
独居高齢者を巡る問題	独居高齢者の生活実態	正月時の寂しさ	悲しい正月，アパートで孤老死ぬ（1974.1.12(15)）
			大半がお正月は無縁，来客もなくじっと，孤独な実態浮き彫り（1975.12.28(13)）
		近所との交流	一人暮らしおじいちゃん，近所との交流なし24％，内閣府調査（2006.11.25(3)）
		女性の老後	女性の老後は寂しく独り？70歳になった時3人に1人夫失う（1986.11.27(22)）
	「孤独な死」に結びつく危険性のある要因	独居高齢者の急増	寝たきり孤老都内に2500人のうち7割が非常ベルなし（1975.9.13(22)）
			ひとり寝たきり32万4000人のうち4人に1人は入浴もままならず（1982.11.2(3)）
			独居老人100万人超（1984.1.8(3)）
			独居老人5年間で33％も増加（1986.11.18(21)）
		独居高齢者の保護率	生活保護老人の不遇くっきり，7割が独り暮らし，都の調査（1978.5.19(20)）
		独居高齢者の災害対策	都内の78％が頼れるのは近くの他人，まだ311人が無防備（1976.9.15(21)）
	独居高齢者の死	病死	老人，孤独な病死，品川のアパート（1974.6.27(11)）
			ミイラ化した実兄と一年七か月，老女が孤独な死，浜松（1976.2.24(23)）
		仮設住宅生活	阪神大震災被災者用仮設住宅で75歳女性，孤独な死，姫路（1995.11.13(14)）
		出稼ぎ労働者	帰京の車内で，孤独な死，出稼ぎに戻る身障老人，上野駅で発見（1974.8.19(9)）
		自殺	「敬老の日」老人自殺，不自由な体を苦に（1974.9.16(22)）
			病気を苦に2老人自殺（1974.9.17(23)）
			長寿きびしく91歳翁が自殺（1975.2.19(22)）
			私の人生もうピリオド，一人暮らし70歳予告自殺（1978.10.14(23)）

朝日新聞社『朝日新聞縮刷版』（1951年1月～2011年4月）の「福祉・厚生」欄，「事故・事件」欄の掲載記事をもとに作成した，中嶌 洋：戦後日本の高齢者の「孤独な死」問題の変遷と特徴．社会事業史研究．第42号，p.127，2012 掲載の表を一部改変

カテゴリー	サブカテゴリー	コード	データの一部（要点・典拠）
独居高齢者を巡る問題	独居高齢者の死	焼死	身体不自由な孤老焼け死ぬ(1974.2.23(19))
			一人暮らし老女焼死(1974.8.1(11))
			都内の焼死,最悪ペース,7日間連続計12人(1975.2.4(7))
			「この世ははかない」一人暮らし老女焼身,遺産トラブル(1977.9.16(23))
			一人暮らし老女,焼死(1977.9.20(11))
			一人暮らし老人焼死,大田区(1978.10.9(22))
		死後経過	一人暮らし老女,除夜の死,死後50日,孤独な死,松戸のアパート(1974.1.14(19))
			死後2か月で見つかる,死の床に保険証書,孤独の遺体,二日後発見(1975.10.24(13))
			遺産三千万円残し,孤独な死,元教員,一か月後に見つかる(1976.11.12(23))
			老人,また孤独な死,81歳,夫の死知らず,痴呆症,体さすり続け数日間(1989.4.8(31))
			孤独死,機械見逃す,センサー付き高齢者住宅,カーテン,人と誤認(1996.9.7(35))
			老人ホームで孤独死,4日間気づかず放置(1996.10.30(31))
「孤独な死」を軽減させる可能性のある要因	生活環境の整備	民間アパート借り上げ	孤老に民間アパート,中野区が借り上げ,20人分を予算化へ(1974.11.5(20))
	機械の活用	シルバーホン	一人暮らし老人用シルバーホン,8万5000人で49台,普及進まず(1976.7.29(17))
		緊急連絡装置	独居老人に緊急連絡装置,文京区が7年がかりで全員に配布(1984.2.18(21))
	食事サービス	給食	財産拠出条件にお世話,給食や洗濯,葬式など一切(1978.6.22(13))
			一人暮らし老人に港区も温かーい給食,協力員が手作りを持参(1980.6.30(21))
		弁当配達	家事,通院,住民が手伝い,高齢者への生活支援広がる,弁当配達(2010.5.4(19))
	世代間交流	共同生活	心かよわせ一つ屋根の下,一人暮らしの老人と若者たち(1974.9.23(21))
		文通	一人暮らしでも200人の孫,元気な新宿の「キャラおじさん」,91歳文通が日課に,励ます全国の話し相手(1976.9.26(20))
	地域力	外出誘導	あおぞら市,外出誘う(2010.10.1(34))
		自宅訪問	自宅訪ね,相談に乗る(2010.10.1(34))
	住民意識の啓発	愛の慰問	都清掃局作業員,お年寄りの心も掃除,強い警戒心ときほぐし,4年間,愛の訪問,墨田区(1978.9.14(14))

20 絶えざる比較法

　絶えざる比較法（constant comparative method，継続的比較分析）は，類似点と相違点とを峻別するために，データの一部を他のものと比較することであり，よく似たデータを，同じ観点でグループ化する。この観点は暫定的に命名され，カテゴリーとなる。その後，各カテゴリーと理論との比較・適合を行い，範囲の限定づけをしていく。これをもとに，各自の仮説や研究目的に基づき，理論化をめざす 表3-5 。GTA に限らず，あらゆる質的研究法において幅広く活用されている方法である。この方法の目的は，データのなかのパターンを探り出すことにある。ここでは，絶えざる比較が単なる比較検討ではなく，調査の目的や研究テーマに沿ったものになっているか，比較するデータは同じ概念レベルのものかが重要である。絶えざる比較から抽出されたデータが特定のカテゴリーに正しくおさまっているかを確認することも求められる。安易なカテゴリー化に終始することなく，抽出したカテゴリーそのものの検証を丁寧に行ってほしい。

　このように，データ分析とはデータの意味を理解することであり，とくに，絶えざる比較法をとおして，カテゴリーや諸特性，諸仮説を構築することは，創出してくる理論の核心へと近づくことであり，徐々にデータを精練させていくプロセスといえる。

表3-5 絶えざる比較法

概要	・グレイザー&ストラウス（1996）の理論化推論による一般化 ・調べた事例から結果を理論化して，一般的な結論を引き出す ・複数の事例研究をもとにして，社会的現象についての一般的理論を生成する
着眼点	・生成される理論が十分に明確に論じられているか ・調べられた事例のどのような特徴が当該理論の生成に決定的であるか ・事例のもつ他の特徴は本質的でないことを示しているかどうか
進め方	・体系的に理論を創出することを目的に，データ収集，コード化，比較・分析を同時に行う

進め方の段階：

Ⅰ 類似点・相違点の区別	Ⅱ 共通項のグループ化	Ⅲ 各種理論との比較・適合	Ⅳ 仮説を検証しながら理論構築
各々のカテゴリーに適応可能な出来事を比較する段階	複数のカテゴリーとそれらの諸特性を統合する段階	理論の及ぶ範囲を限定づける段階	理論を書く段階

21 KH Coderによる分析

　ベテランの研究者であっても，インタビュー調査や資料解題から得られた質的データをどのように論文に活用するかという悩みは尽きない。抽出したデータが紛れもなくそのデータ全体の代表であるか否かということは，顧みられることは案外少なかったのではないだろうか。また，仮に，多くの自由回答が得られても，それを読むだけで分析はできない。データが多い場合には，全体的にどんな回答が多かったということすら，正確に把握できるとは限らないからだ。

　こうした問題を解決するために，計量テキスト分析という分析手法を樋口耕一や川端亮らが考案したのである。この方法は，データを科学的に分類することで，回答者の言葉（テキスト）に含まれる本質・特徴をとらえることができる「テキストマイニング」という方法と似ており，内容分析（content analysis）の考え方に依拠している。本書では，前出の樋口自身が考案し，自らのイニシャルから命名したフリーソフトウェア「KH Coder」について解説する。

　KH Coderは無料でダウンロードできるので，「KH Coder」とキーワード検索し入手しておくとよい。分析にはいくつかの留意点があるが，何度か試すと習得できるだろう。

　KH Coderを用いると一連の分析の流れのなかで，研究論文中に引用できる主に4つの分析結果が比較的容易に得られる。4つの分析結果とは，「抽出語リスト」「階層的クラスター分析」「共起

ネットワーク」「対応分析」である。筆者が実際に行った分析をp.92〜95のcolumnに示す。

　KH Coderによる分析では，単に分析結果を得ることよりも，得られた結果をどう解釈すればよいのかについて，慎重かつ丁寧に検討することが重要である。調査研究の主流を量的研究が占めるなか，インタビュー調査や歴史研究などの質的研究の科学性をいかに担保するかが重要課題となっている。量的研究では至らない，質的研究ならではの研究プロセスや分析手順が生かされなければならない。

　KH Coderをはじめとして質的研究において科学性を立証するための方法の習得と同時に，その開発が望まれる。

　なお，便利なツールとしてKH Coderを紹介したが，KH Coderによる分析では，自動抽出された語のなかで出現回数の多いものを機械的に選んで分析しているため，恣意的になりにくいという利点はあるものの，問題も少なくない。たとえば，分析結果として意味がない語，あるいは分析者の問題意識と直接関係のない語も分析の対象に含まれてしまうという弊害がある。また，質的研究に特有な語のニュアンスや文脈，論理展開などの表には現れない部分がすべて抜け落ちてしまうため，当該手法のみをもって質的研究を進めることは慎まなくてはならない。ここでも，研究のバランスが大切であり，図3-1（p.73）で指摘した質的研究と量的研究を統合する研究デザインが採用・実施されることが望まれる。

COLUMN

KH Coder による分析の実際

資料1 頻出語リスト

　質的データ全体におけるその語の登場した頻度の高い順に並べたものである 表3-6 。頻出順に150語が自動抽出されるため，引用する場合には研究テーマ・研究課題を考慮しながら，上位30語，上位50語などと，研究者が適宜限定すればよい。さらに，頻出語リスト表を見やすいように新たに作成してもよい。

資料2 階層的クラスター分析

　各々のデータの近似性にもとづき，いくつかに分類したものである 図3-7 。KH Coderではいずれも自動で分類されるため，各々の件数を考慮しながら，研究者自身が適宜命名する。なかには，件数が少なすぎるものや研究テーマから外れた頻出群が出てくることもあるので，その際には研究者自身が選択する。なお，こうした一連の手順の詳細を記述する必要がある。

表3-6 頻出語リスト

抽出語	頻度	抽出語	頻度	抽出語	頻度
人	73	来る	13	上田	7
教会	51	梅花幼稚園	13	老人	7
竹内さん	38	仕事	12	結婚	6
入る	24	聖公会	11	公園	6
行く	20	保険	11	姉	6
知る	18	奥さん	10	市役所	6
ホームヘルパー	18	東京	10	主人	6
父	18	芸者	9	通る	6
子ども	15	学校	8	奉仕	6
民生委員	14	お手伝い	7	未亡人会	6

抽出語リストより，頻度の高い上位30の語をまとめた

中嶌洋：生活変化及び信仰を通して考える歴史的アプローチの構造．帝京平成大学紀要，第25巻，p.71，2014 より一部改変

| 資料3 | 共起ネットワーク |

どの語とどの語が一緒に使われていたのかという「共起」に注目し，点線による区分けを研究者自身が行う。ポイントは，語句が密集している箇所や結んだ線が密集しているところに関係性の強さを見出すことである 図3-8 。さらに，密集箇所が各要素をつなぐ要となる。いずれに

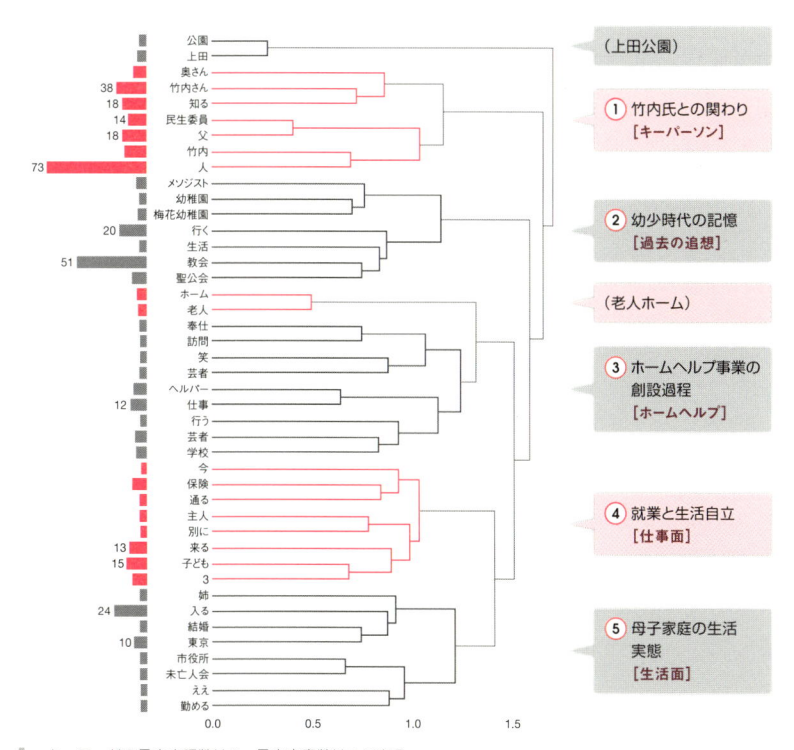

- キーワードの最小出現数は5，最小文書数は5である
- 特徴的なクラスターを5つ抽出し，命名した（①〜⑤）
- 共通項の少なかった「上田公園」「老人ホーム」はクラスターに含めず，（　）で記す

中嶌洋：生活変化及び信仰を通して考える歴史的アプローチの構造．帝京平成大学紀要，第25巻，p.71，2014 より一部改変

図3-7 階層的クラスター分析

COLUMN

KH Coder による分析の実際

しても，近接した要素間の共通性・類似性を考え，適宜点線でグループ化し，命名する。

資料 4 対応分析

対応分析は，データの散布具合を示すものであり，解釈はやはり研究者自身に委ねられる。図3-9 は，上田市発祥のホームヘルプ事業のモ

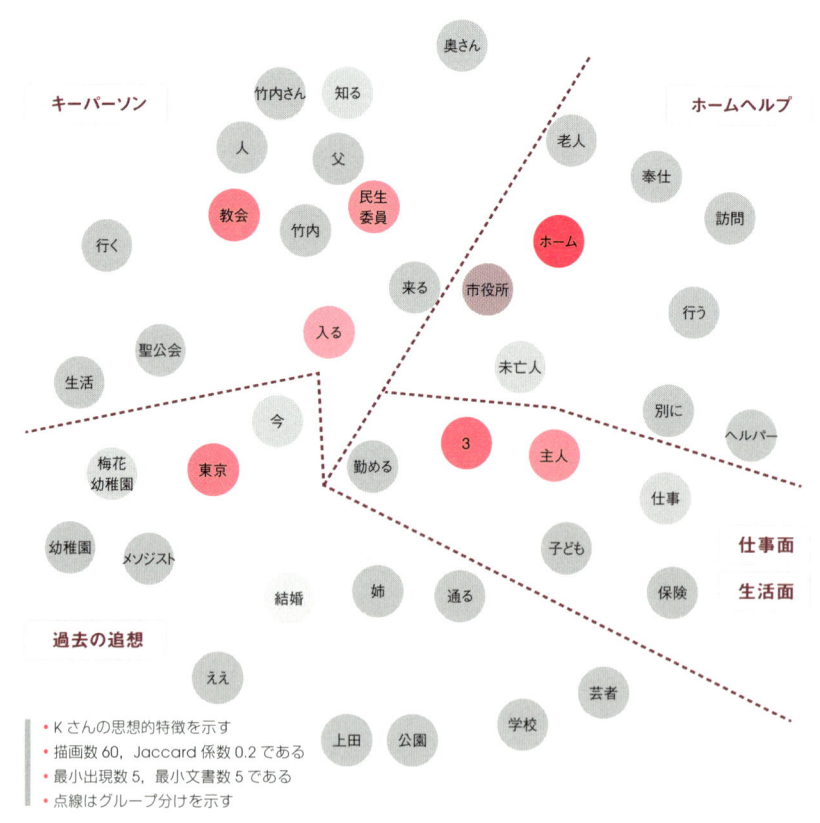

- K さんの思想的特徴を示す
- 描画数 60，Jaccard 係数 0.2 である
- 最小出現数 5，最小文書数 5 である
- 点線はグループ分けを示す

中嶌洋：生活変化及び信仰を通して考える歴史的アプローチの構造．帝京平成大学紀要，第 25 巻，p.72，2014 より一部改変

図3-8 K さんの思想的特徴に関する共起ネットワーク

デルとされたＫ氏（通称，クリスチャン未亡人Ｋさん）の思想にアプローチした結果であり，「幼少期」「東京での生活」「上田での生活」の3群に分類できた。加えて，それらの3つをつなぐ要素として，「キリスト教」が挙げられ，図3-9 では，「梅花幼稚園」→「メソジスト」→「聖公会」→「教会」という流れでつなぐことができた。ここから，Ｋさんの生涯はキリスト教信仰に基づく敬虔な生活であったことが実証できる。

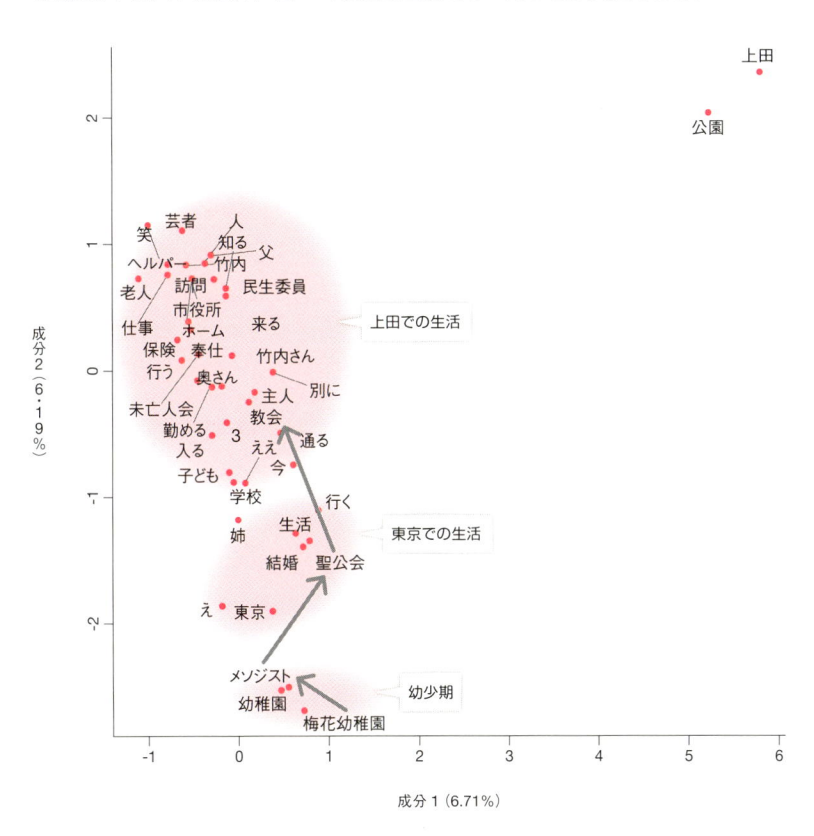

- 最小出現数 5，最小文書数 5 である
- グループ分けを薄いピンクの色の円で示した

中嶌洋：生活変化及び信仰を通して考える歴史的アプローチの構造．帝京平成大学紀要，第 25 巻，p.73，2014 より一部改変

図3-9 対応分析によるＫさんの思想的特徴

Step 3 データの分析方法

参考文献

1) 荒井浩道：テキストマイニングとはなにか．介護福祉学．第22巻第1号，p.52-60，2015
2) 岩田正美，小林良二，中谷陽明，稲葉昭英（編）：社会福祉研究法—現実世界に迫る14レッスン．有斐閣，2006
3) ウヴェ・フリック（著），小田博志，山本則子，春日常，宮地尚子（訳）：質的研究入門 〈人間の科学〉のための方法論．春秋社，2002
4) 香川正弘，鈴木眞理，佐々木英和：よくわかる生涯学習．ミネルヴァ書房，2008
5) 戈木クレイグヒル滋子：ワードマップ グラウンデッド・セオリー・アプローチ 理論を生みだすまで．新曜社，2006
6) 戈木クレイグヒル滋子：実践 グラウンデッド・セオリー・アプローチ 現象をとらえる．新曜社，2008
7) 佐藤郁哉：ワールドマップ フィールドワーク 増訂版，書を持って街へ出よう．新曜社，2006
8) S・Bメリアム（著），堀薫夫，久保真人，成島美弥（訳）：質的調査法入門 教育における調査法とケース・スタディ．ミネルヴァ書房，2004
9) 田垣正晋：これからはじめる医療・福祉の質的研究入門．中央法規出版，2008
10) 田中千枝子：社会福祉・介護福祉のための質的研究法 実践者のための現場研究．中央法規出版，2013
11) 中嶌洋：戦後日本の高齢者の「孤独な死」問題の変遷と特徴．社会事業史研究第42号，119-132，2012
12) 中嶌洋：ホームヘルプ事業草創期を支えた人びと 思想・実践・哲学・生涯．久美，2014
13) 中嶌洋：人，生活，思想および公務を通して考えるホームヘルプ事業の創成—テキストマイニングを基にした原崎秀司の思想的特徴へのアプローチ．介護福祉学．第21巻第23号，p.113-121，2014
14) 中嶌洋：生活変化及び信仰を通して考える歴史的アプローチの構造．帝京平成大学紀要第25号，p.69-78，2014
15) 樋口耕一：社会調査のための計量テキスト分析—内容分析の継承と発展を目指して．ナカニシヤ出版，2014
16) 川喜田二郎：KJ法—渾沌をして語らしめる．中央公論社，1986

Step 4

質的研究の論文執筆と発表

- 22 論文執筆
- 23 厚い記述
- 24 研究論文の進め方
- 25 査読をクリアするための秘訣
- 26 プレゼンテーションの留意点と秘訣

Step 4 / 22 論文執筆

📝 発表の意義

テーマにもとづき進めてきた研究は，その成果の発表をもって一段落つくことになる。研究成果の発表は，これまでの苦労が報われる瞬間ではあるものの，完結というよりは中間報告という形をとることもある。一連の研究活動を整理し，自らの知見や成果を発表することにより，批判・指摘を受けてより確かなものにでき，新たな気づきが得られる。たとえ中間報告であっても，発表することは意義深いのである。

では，どこでどのように発表するか。さまざまな方法があるが，一番望ましいのは，査読つき学会誌あるいはそれに準じる学術誌に投稿し，掲載されることである。専門分野において一定の水準を満たし，独自性をもち，その分野の発展に貢献するような社会的意義のある論文のみが，原著論文として学会誌・学術誌に掲載を認められる。したがって，学会誌や学術誌にみる論文は，優れた内容であると同時に，人類に共有の知識を増やし，社会に貢献する，あるいは人々の生活の向上につながる手掛かりとなることが多い。

📝 論文の構成

こうした学術誌に掲載される論文を執筆するためには，論文の中身が優れていることに加えて，執筆するうえで，最低限必要な要素がある。通常，研究論文は，以下のようにタイトル，要約，

目的，課題，方法，倫理的配慮，結果，考察，結論（今後の課題）文献で構成される。

タイトル
研究内容を簡潔に示す

要約
「○○を検討した」「○○を考察した」といった報告だけではなく，先行研究と比較して，どのような研究・分析を行ったのか明記する
①何を，②なぜ，③どのように問題とし，④どのような結論が導かれるのかを，おおよそ明らかにし，論文全体を展望できるようにまとめる

目的
研究テーマの背景，先行研究の課題や先行研究との違いを示し，自らの研究の意義を記す

課題
研究目的を達成するために必要な研究課題を具体的に示す

方法
対象設定，調査手続き，分析手続き，倫理的配慮について明記する
- **対象設定**：ある人・集団・組織を対象とする意図・理由
- **調査方法**：調査方法，調査期間，調査頻度，所要時間，場所，年月日，インタビューガイド，対象との関係など
- **分析方法**：GTA，KJ法などの場合は，データを切片化した数・内容，カテゴリーなど
- **倫理的配慮**：個人情報やプライバシーの取扱いに対し，どのような配慮をしたのか，あるいは，どの研究倫理に基づいているのかなど

結果
具体的なデータ，抽出化されたカテゴリー・コードをバランスよく示して結果を記す
場合によっては代表事例による結果の提示を行う

考察
結果を踏まえ，とくに強調したい点や重要な論点を取り上げ，他の論者の見解（引用）と自分の主張とを比較検討することで，自分の主張の裏づけを行う
質的研究では，データから直接得られる結果と研究者の解釈とを完全に切り離せないことがあり，結果と考察をまとめる場合がある

> 結果と考察では，新たに明らかにされた事柄のみならず，明らかにされ得なかった事柄（今後の課題，限界）もきちんと指摘することで，研究成果を浮き彫りにする
>
> **結論（総合考察）**
> 結果・考察を通じて明らかになった知見・主張を改めて端的に述べ，各章で取り上げた内容の要点を簡潔に省察する
> それらを踏まえて課題とその解明の鍵，論文のその分野・領域における意義・位置を簡潔に記し，総括する
>
> **文献**
> 引用文献と参考文献を記載する
> 表記方法にはバンクーバー方式やAPAスタイルなどがある

　論文ではその主張や知見に対し，必ず根拠づけがなされていなければならない。従来，根拠が示され信じられてきたもの（確実とみなされていたもの）を，別の資料や合理的推論を用いて覆す，あるいは修正するという研究や，未開の領域を掘り起こすといった学術研究においては，根拠づけのプロセスをいかに丁寧に論じるかが重要になる。

　序論の研究課題で記した予想される結果と結論で論述した内容を一致させること 図4-1 や，先行研究で言及されていなかった新知見を提示すること，文章の論理展開をわかりやすく，明快にするということも，査読をクリアする一つの要件である。

論文展開のコツ

　研究テーマにより異なるが，先行研究において何がどのような方法で解明されているのかを確かめることから始める。次いで，そのテーマの未解明な点を見つけ，その論点を明確にするための方法や構成を考える。このとき，白紙の状態から考えるのではなく，自分の専門分野・専攻領域で類似した先行研究の論文構成や筋道の立て方を参照するとよい。先行研究の論文だけでなく，構

成や表現も参考になる。応用できそうな箇所を適宜取り入れながら研究テーマにアプローチすることで部分的な形ができ，それらをつなげることで論文の骨格が完成する。自分の研究に良質な論文をうまく参考にするとよい。

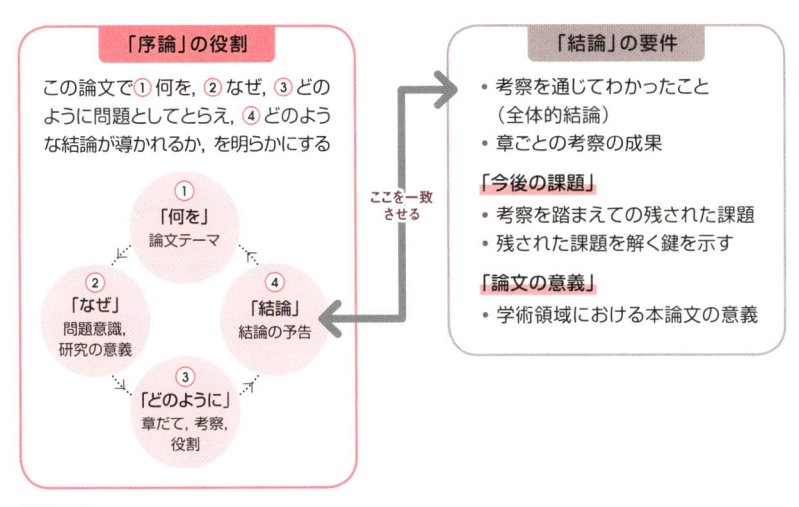

「序論」の役割

この論文で①何を，②なぜ，③どのように問題としてとらえ，④どのような結論が導かれるか，を明らかにする

- ① 「何を」 論文テーマ
- ② 「なぜ」 問題意識，研究の意義
- ③ 「どのように」 章だて，考察，役割
- ④ 「結論」 結論の予告

ここを一致させる

「結論」の要件

- 考察を通じてわかったこと（全体的結論）
- 章ごとの考察の成果

「今後の課題」
- 考察を踏まえての残された課題
- 残された課題を解く鍵を示す

「論文の意義」
- 学術領域における本論文の意義

図4-1 論文における「序論」と「結論」との対応

Step 4 / 23 厚い記述

　査読を経た論文の多くは「厚い記述（thick description）」がなされている。「厚い記述」とは，初学者や専門分野が異なる人がその論文を読んでも，内容がよく理解できるような記述のことである。さらに「薄い記述（thin description）」とは異なり，調査者は研究対象を記録するだけではなく，幾重にも折り重なった生活と行為のもつ意味をときほぐしていき，その作業をとおして初めて明らかになる行為の意味を解釈し，その解釈をまとめる作業が厚い記述といえる。

　つまり，論文執筆や研究成果の発表においても，インタビュー調査や資料解題などで，質的データを用いる場合，事実（結果）の羅列ではそれ以上でもそれ以下でもない。これに対して，結果をそのままに記述することに加え，その対象者の生活史や時代・社会・文化的な背景などの文脈を丁寧に追いながら，それらを考えあわせつつ記述すると，その行動や発話が社会で置かれている文脈として説明することが可能となり，「厚い記述」となる 図4-2。すなわち，インタビュー調査の結果を抜粋して羅列するのではなく，抜粋したものの配列を考え，内容の背景や裏づけとなるデータ・資料を補足し，検証・判断を積み上げて何重もの層を作るように論じると厚みが増すのである。

　たとえば，Aさん（60代）が20代のころを振り返り，Xということを話したとしても，それは現在のAさんの見方というよりは，約40年前のAさんの考え方や心構えが強く影響しており，

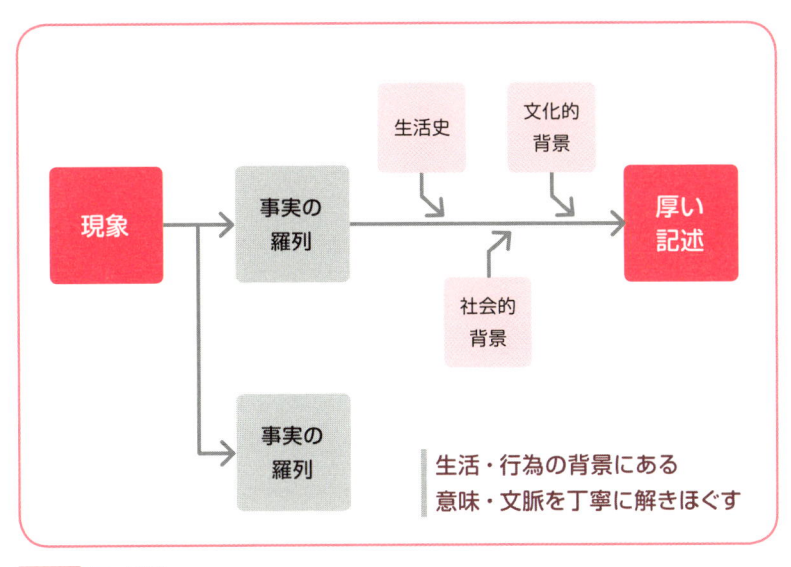

図4-2 厚い記述

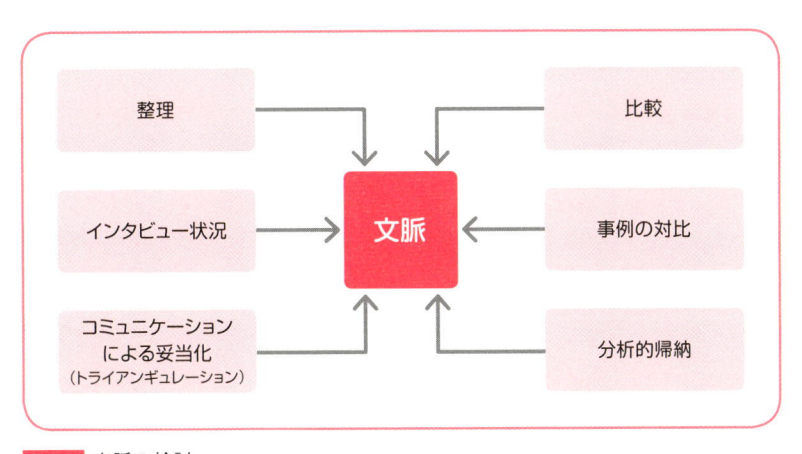

図4-3 文脈の検討

当時の社会・経済状況，日常生活，家庭環境，発達段階（成熟度），人間関係を考え合わせたうえで，Xという発言内容をとらえ直さなければ，正しく内容を理解できないだろう。

図4-3のように，文脈を多角的に検討しつつ，物事をより立体的にとらえ，実像にアプローチする手段として，「厚い記述」は不可欠ともいえる。インタビュー調査で語られた内容（一部）を論文中のどこに引用するかは，文脈を判断する力が試される。また，論証のためか反証のためかを見極め，類似・共通事例としての引用か対比事例としての引用か，あるいは特殊事例としての引用かなども決める。加えてインタビュー調査時の対象者の状況や他の対象者の影響も考慮に入れるなどし，さまざまな観点から記述内容（一部）の特徴・性質を理解することが大切である。

さらに，こうした「厚い記述」を可能にすべく，独自性があり，かつ分析的な記述をするためのコツとして，N.K.デンジン（2006：338-339）は，次に示す「4つのノート」を挙げている。

- **観察ノート（observation notes；ON）**
  場の光景を自分の感覚をとおして経験したままにおくものであり，可能な限り仔細に記述する
- **方法論ノート（methodological notes；MN）**
  データをどのように収集するのか，研究手続きの成否を自問自答することである
- **理論ノート（theretical notes；TN）**
  既存の理論への批判や，自分自身の考え・思考・観察の批判といった自己点検のことである
- **個人ノート（personal notes；PN）**
  ある場面で調査者が何らかの感情をもったとしたら，それはおそらく他者も抱きがちな感情であるととらえることであり，自己覚知の一手段ともなる

ONとは情報量の多少を，MNとは情報の整理・分析の方法を，TNとは情報の新旧を，PNとは情報の遠近を示している。たとえば情報量が多く，それほど新しい知見も含まれていないようなありふれた回答を得た場合と，情報量はきわめて少ないもののこれまでにはない斬新で貴重な証言が得られた場合とでは，分析手法も異なり，調査者自身の理念や考え方にも影響すると考えられる。そのためこうした「4つのノート」を調査中から意識し，文章化する際にも活用することで概念整理がしやすくなる。

厚い記述のために行う検証は，①論証と②反証の2通りの方法がある。①の場合，自己の主張を裏づけするために，結果Aに対し，具体例・類似例を引用し，A'，A"，A'"……と記述を重ねる。その際，似たような立場の人の見解を羅列するよりも，著名な研究者，中堅の研究者，実践家，対象者などの例を多角的に取り入れ，分野も特定せず，異なる分野からの検証であることを示すほうが効果的である。②の場合は，結果Aに対し，反例B，反例C，反例D……などと，矛盾点や誤謬を指摘し，反論の根拠を示すことで，Aの内容を明確にする。

厚い記述のためには，五感をとおして感じたこと・考えたことを記しつつ，それらが自己の研究において一貫したものか，他者の研究との関連性がいかなるものであるのか，などについて常に丁寧に検証し考えながら，理論的・方法論的観点から考察を進める必要がある。

24 研究論文の進め方

　これまで、「論文の執筆」「厚い記述」のポイントを述べてきたが、研究にもさまざまなレベルがあり、レベルごとにまとめ方や要する時間なども異なる。そこでまず、ゼミ論文、卒業論文、修士論文、査読論文、博士論文を作成する際に要する時間と大まかなスケジュールの例を示した 表4-1 図4-4 。

　ゼミナールや卒業研究の成否を分ける一つの要因として、「指導教員との関係」がある。これをうまく築くことで、研究のさらなる発展や、自身の進路・方向性の好転などが見込まれるようになる。

　また、これらの研究をまとめるにあたり技術的には次の5点に注意する必要がある。

> 1. 提出締め切りの直前になってからすべてを提出せず、段階ごとに指導教員に状況報告を行う
> 2. 指導された箇所について、ディスカッションを行う
> 3. 修正を加えられたり、誤りを指摘されたりした場合、それがなぜなのかをよく考え、同じ指摘を受けないように注意する
> 4. 第三者の知的所有権を尊重し、侵害しない
> 5. 自己アピールや努力したことの羅列ではなく、研究成果を示す

　多少の個人差はあっても、修士論文あたりまでは研究者自身の興味・関心や指導教員の助言などにもとづき、ほぼ順当に進むのではないだろうか。一方、査読論文の所要時間や博士論文の完成

表4-1 論文執筆のための所要時間

ゼミ論文	3〜6か月
卒業論文	3〜6か月
修士論文	2年
査読論文	1年〜1年半
博士論文	3〜10年

	4月	5月	6月	7月	8月	9月	10月	11月	12月	1月	2月	3月
学部3年	配属ゼミ決定（ゼミ討議）→						→ 研究室配属		卒論テーマ決定 →			
学部4年			施設実習 →			卒論本格作成					卒論報告会 →	
修士1年	単位履修（30単位）／修論テーマ探し（文献レビュー） →											
修士2年	修論のための調査 →				修論本格作成 →						修論報告会 →	
博士1年（社会人）	修論の手直し →			機関誌への投稿 →		博論テーマの吟味、追跡調査 査読結果通知→加筆・修正						
	調査・研究の継続 ----→											

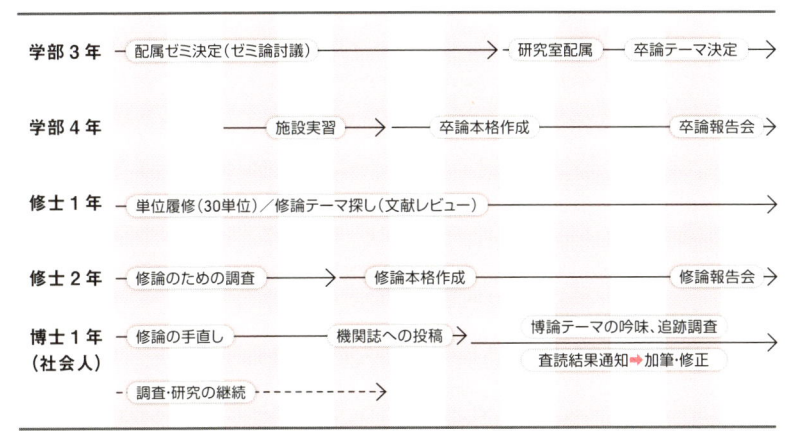

図4-4 論文執筆のスケジュール例

までにかかる時間は，表4-1におおよその目安は示したが，必ずしも予定通りに進むとは限らないので注意したい。なぜなら，これらの論文に求められる内容は，個人の見解や興味・関心といったレベルを超えており，内容そのものの中に新知見が含まれていることや，学術的意義（ある学問分野の理論的体系化に寄与すること）が示されていなければならないからである。努力の過程の披露ではなく，研究の成果の明示が求められるのである。

投稿論文とは

　査読つき論文では，数ある学会誌・学術誌のなかからどこに投稿するのか，その査読誌の規定や様式を満たしているか，論文全体が論理的であり，新知見（学術的発見）があるかなどが厳密に問われる。新知見とは既存しない知識や見識の発掘のことを意味するが，たとえば仮に既存の知見でも，その一部分を実証的に覆したり是正したりすることも含まれる。通常，査読を経ても「無修正で掲載可」となることは少なく，数度の修正を経て掲載となることが多いため，高い水準の査読つき学会誌・学術誌であればあるほど，論文掲載までに何年もかかることが予想される。

　博士論文では，幾度かの「指導→加筆修正」を繰り返し，内容を精査し，完成に近づける。同時に，調査者は高度専門的な学術論文を審査するための「博士論文指導委員会」（通常主査1人，副査2人）の組織づくりを進め，査読内容を十分に踏まえた修正作業を締切期日まで続けることが肝要である。ちなみに，博士論文では"ノーミス"が求められ，第一次審査（中間発表）→第二次審査（本発表）→公聴会（部外者参加可能）という流れで進む。博士学位取得後は，論文の内容を速やかに簡易製本し，社会一般に知見を公表することも研究者として重要な仕事であり，通例となっている。余談だが，一般には，大学院修士課程を修了して，ようやく研究の入り口に立ったと言われ，博士の学位を取得して，初めて独立した研究者と見なされる。課程博士の場合は，単著（学術書）として刊行しなければ業績として認められないこともある。

研究をまとめるために

　以上のように，研究のまとめ方は，テーマ，環境などにより千差万別であるが，いずれにしても，まず，各自が設定した研究テーマに関する先行研究を十分に分析し，どのような問題提起のもとに，何を目的とし，どのような切り口でアプローチするのかを熟考することが重要である。そして，提出期限までの残された時間を念頭に，何をいつまで実施するのか，そのためにはどのような準備や手順が必要なのか，計画的に取り組まなければならない。さらに，計画通りに進まなかった場合の善後策についても考えておくとよいだろう。

　なお，研究の道のりは険しい。壁にぶつかったり，逆境に陥った場合には，全体を俯瞰し，自分の研究の位置を再確認するとよい。たとえば，自分の研究のキーワードを2〜3つ抽出し，CiNiiやNDL-OPACなどで検索し，先行研究や最新の研究を書き出してみよう。これらを地域別，視点別，年代別，対象別，方法別など，いくつかの観点からグループ化して配置しなおすと特徴をとらえやすい。その中で自分の研究の立ち位置に見当をつけると，近接する先行研究から，活用できそうな研究方法を見つけたり，先行研究の盲点が明らかになり，そこからアプローチできることがある。また，先行研究にある主な引用文献や参考文献を読むことで手がかりを得る場合もある。それでもなかなかうまくいかないときは，同じキーワードを扱った他分野の先行研究に目を向け，応用できそうな方法や視点がないかを探してみよう。

Step 4

25 査読をクリアするための秘訣

　学会誌・学術誌の投稿者にとって，各誌編集委員会から送付されてくる「査読結果」を開封する瞬間はとてつもなく不安である。前述のとおり，「無修正で掲載可」となることはほとんどなく，「修正後に掲載可」か「修正後に再査読」が多く，修正作業

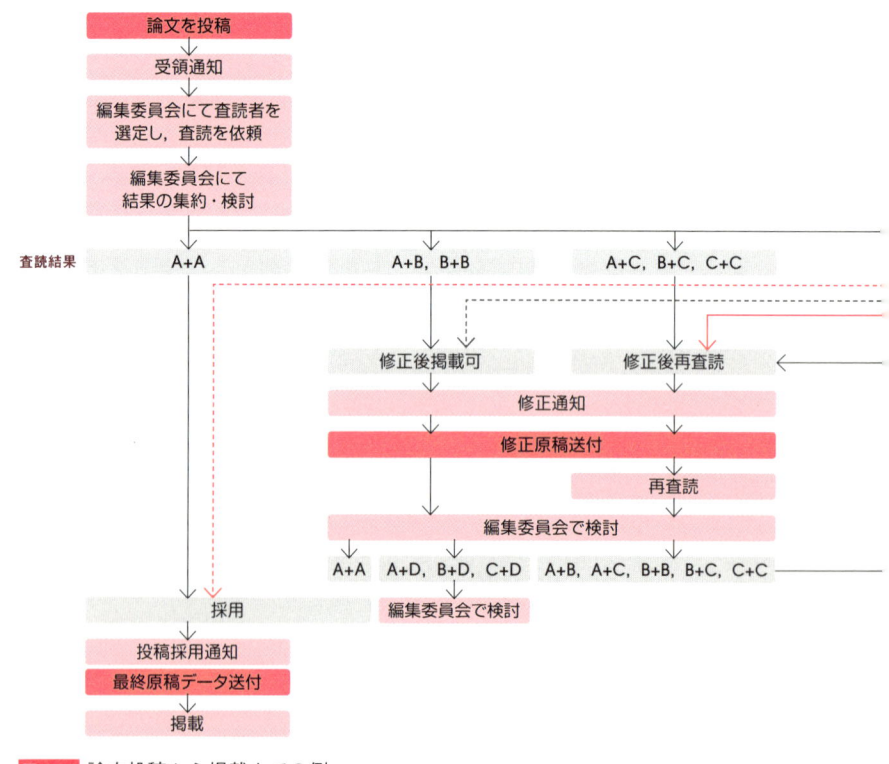

図4-5 論文投稿から掲載までの例

を行わなければならない。仮に，「掲載不可」という結果であれば，これまでの論文作成のためにかけてきたすべての時間や労力が報われなくなってしまう。「査読をクリアする」ためには，逆に「掲載不可にならない」「査読で不採用とならない」ようにすることが求められる。

査読のプロセス

そもそも，査読はどのようにして行われるのか。ここでは，学会誌における投稿から掲載までのプロセス 図4-5 を示した。論文投稿後，「投稿受領通知書」が投稿者全員に送られ，その後，査読結果到着まで約3か月を要する。この間に，編集委員会で査

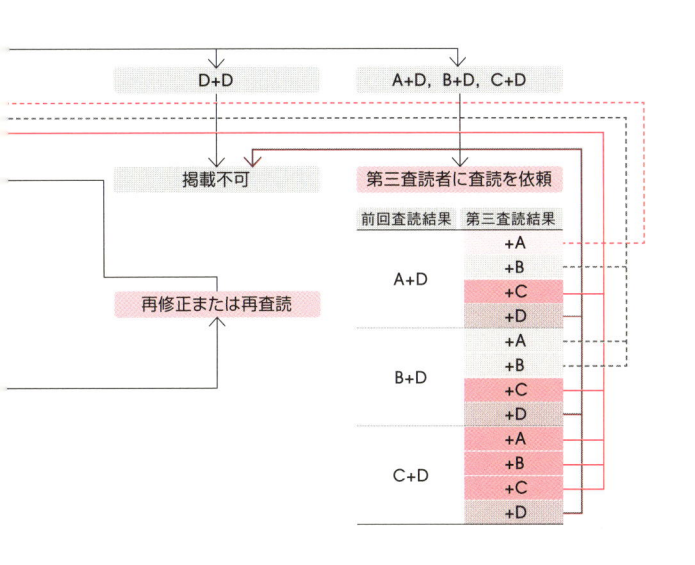

	D+D	A+D，B+D，C+D
	掲載不可	第三査読者に査読を依頼

前回査読結果	第三査読結果
A+D	+A
	+B
	+C
	+D
B+D	+A
	+B
	+C
	+D
C+D	+A
	+B
	+C
	+D

再修正または再査読

読者としてふさわしい者を2名選出し，公正な査読作業を経て，A 無修正で掲載可，B 修正後に掲載可，C 修正後に再査読，D 掲載不可の4段階評価で判定される。

査読者2名の結果より，「A+A」は掲載，「A+B」「B+B」は修正後掲載となるが，「A+C」「B+C」「C+C」の場合は修正後再査読となり，「A+D」「B+D」「C+D」の場合は第三者（1名）の査読を経て，総合評価が出される。「D+D」は掲載不可となる。

査読結果は査読報告書で通知される。この報告書には査読者のコメント・評価が記載されており，明確な研究ビジョンをもてない若手研究者にとっては何よりも勉強になる。結果に関係なくこれをぜひ，熟読してほしい。

査読者の視点で論文を見直す

では，査読で不採用とならない秘訣についてみていく。投稿論文のテーマにいくらかの見識・造詣がある査読者であっても，初めて読む論文の解読は容易なものではない。そこでまず，最初にざっと一読し，全体の感触をつかむという。ついで，学会誌の投稿規定に沿って内容を確認する。その過程で古い参考文献が混じっていないか，一字一句細かく読みながらも，矛盾点や批判点を挙げていく。そして，以下のような項目を評価しそれらを踏まえ，全体評価をするのである。

- 執筆要項に適合しているか
- 表題は内容を適切に表現しているか
- 要旨の内容は適切であるか
- 先行研究を的確に踏まえているか
- 研究目的は明確であるか
- 研究目的に対して研究方法は適切であるか
- 調査の方法・分析が適切で，結果は明確であるか

- 考察および結論には新しい知見が含まれるか
- 論理の展開には一貫性があるか
- 概念・用語は適切で適切に用いられているか
- 省略語・単位・数値は正確に表現されているか
- 図表の体裁（タイトル・単位・形式）は統一されているか
- 図表は本文の記述と適合しているか
- 研究倫理上の問題はないか

　裏を返せば，投稿者自身がこうした査読者の視点で，投稿規定との不一致，論理的矛盾や飛躍，誤字・誤記などの不備を事前に確かめることで，よりよい論文へ近づく。つまり「掲載不可」という判断の根拠となるような誤謬を提示しなければ，安易に「掲載不可」とはならないのである。

査読者のコメントを活用する

　A〜Dの4段階の査読結果に対しては，送付された結果を真摯に受け止め，かつ適切に応えていく必要がある。表4-3に「査読者のコメントに対する対応法」を記した。いずれの結果であっても，査読者2名への「回答書」を各々作成しなければならない。

　「無修正で掲載可」の場合であっても，刊行までの最初で最後の修正チャンスとなるため，再度じっくり読み直し，ミスがないか十分に検討する必要がある。

　「修正後に掲載可」の場合は，査読者の指摘事項のすべてに対し，どのような修正を加えたのか，あるいはいかなる理由で修正しなかったのかを逐一回答する義務がある。該当箇所を「何頁の何行目」という形で明記することも忘れてはいけない。原則的には，査読者の指摘事項に対する回答に留める。

　次に，「修正後に再査読」の場合は，かなり大幅な修正が求められる。ごくわずかな部分的な修正だけでは，十分な改善が見ら

表4-3 査読者のコメントに対する対応法

査読結果	対応法
無修正で掲載可	仮に投稿論文が「無修正で掲載可」と評価されたとしても，もう一度見直すことのできる最後の機会である
修正後に掲載可	査読者は，掲載誌の編集者が満足する修正であればよいと考える ここでは，査読者への回答書を各々作成し，査読者の要請に確実に応じ，修正を加えることが重要である 一方，指摘されていない箇所の自主修正は，時に査読を長引かせてしまうおそれがあるので慎重に行う
修正後に再査読	かなり大幅な修正が必要である 苦労が報われなかった気分になってしまうかもしれないが，査読者のコメントは論文改善のみならず，研究を前進させるためのヒントを与えてくれる場合が多いので，前向きに修正を行う
掲載不可	一度，「掲載不可」となると，同一テーマで同じ学会・機関への投稿はできない。コメントを慎重に読み込み，研究の方向性の再検討や再評価に役立てる 不服申し立て制度がある場合でも，むやみに申し立てず，十分な検討と研究指導者との相談を必ず行う

れないという理由で，「掲載不可」となってしまうことがある。査読者のコメントにもとづきつつも，内容，方法，構成，根拠づけ，論理展開など，気づいた箇所はすべて修正する必要がある。その際も，査読者の意図や真意をくみ取りながら，修正を進めることが求められる。

　「掲載不可」の場合は，投稿者にとって心身のショックは大きいものである。しかしながら，気落ちすることなく査読者のコメントを熟読して，研究の再評価や，テーマ変更などに役立ててほしい。査読者のコメントは，自分の研究を前進させるための貴重な指摘であり，研究指導者による個別指導と同等の価値がある。いずれにしても，結果を目の前にして，自分が現実とどう向き合い，いかに動くかにかかっている。

📝 筆者の体験から

　最後に，査読を突破するための秘訣を，筆者の体験をもとにまとめた。

　まず，投稿者の姿勢としては，自分が投稿を希望する機関誌に，一度は掲載されるまで諦めず，投稿を繰り返すことである。そのつど，査読者のコメントを十分に理解し，以下の事項について留意することが重要である。

- 1本の論文でいくつもの主張をし過ぎない
- 簡潔かつ論理的な文章を書く
- 新知見を示す
- 先行研究のどの部分を超えたのかを明記する
- 通説・主説の見解を用いつつも，批判精神を忘れない
- その分野・領域における当該論文の位置・意義を述べる

　学会誌・学術誌に論文が掲載されることは，研究者にとっての誇りであり，自身の研究への理解を深める絶好の機会である。査読つき学会誌・学術誌への良質な掲載論文が増えることで，その分野・領域が精錬されることを念頭に置きつつ，自身の研究テーマにこだわりをもち，自分を律しながら，ぜひ，研究活動を継続してほしい。

Step 4 / 26 プレゼンテーションの留意点と秘訣

　研究成果の発表では，質の高い論文や内容の濃い図書・報告書などの作成が大切なのは言うまでもないが，一方，それらをいかに多くの人々に効果的に伝えるかが要点となる。研究内容が充実していてもプレゼンテーションに失敗すると，研究成果の発表を成功裡に終えたとは言い難い。ここからプレゼンテーションの留意点とコツをみていく。

　本来，プレゼンテーションには，聞き手にわかりやすく説明することで，納得させ，それを試してみようと思わせるといった，行動レベルまで引き上げるねらいがある。研究結果の発表では表4-4に示すように，プレゼンテーションの主体はあくまでも発表者だが，しかしその視点は発表者ではなく聞き手に置かなけれ

表4-4 プレゼンテーションの留意点

☑ 準備のみで終わりとしない
☑ 発表者の視点ではなく，聞き手の視点でも話す
☑ 共感が得られるようわかりやすく伝え，一方的に話さず参加意識を作り出す
☑ 成否は聞き手が決めると考える
☑ プレゼンテーションは2W1H（Who, What, How）で構成する
☑ プレゼンテーションは聞き手の興味を引くようにする
☑ プレゼンテーションでは論理展開を考える
☑ プレゼンテーションの目的・内容・構成を明確にする
☑ プレゼンテーションは自身が納得できるまで練習する

ばならない。そして、聞き手に動機づけを行うためには、目的、内容、構成、ストーリーを明確に決めなければならない。たとえば、発表の冒頭でいきなり質問を投げかけて聞き手の問題意識を高めたり、衝撃的な出来事・データなどを紹介したり、あるいは最後に実践につながる事例を紹介したりする方法がある。そして、いかなる発表であっても十分に練習してから臨むと、自信をもって話し切れる。個人練習を重ねることは言うまでもないが、同僚や研究者間で発表し、互いに指摘し合い、指導教員との個別指導においてその内容を点検することも重要な準備作業である。

　プレゼンテーションを成功させる7つの秘訣を 図4-6 に示した。まず最初に、主題と研究概要を示す。これにより聞き手はイメージを膨らませたり、聞く準備を整えたりすることができる。とはいえ、発表者は何度も練習し、内容も把握しているが、聞き

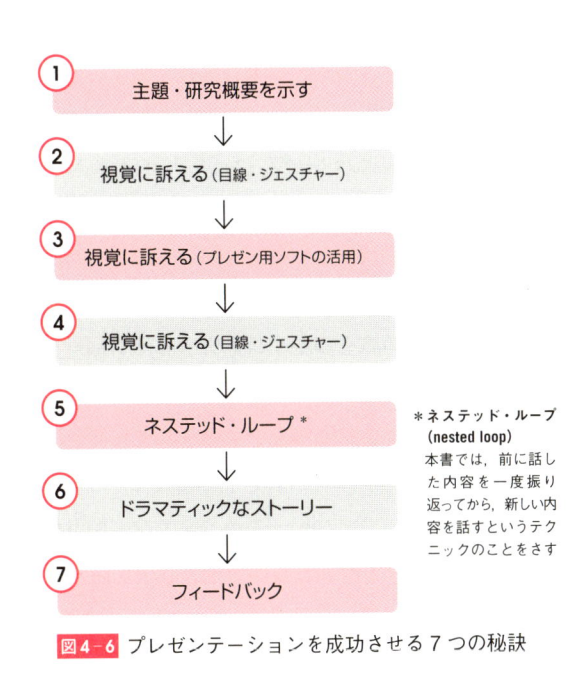

1. 主題・研究概要を示す
2. 視覚に訴える（目線・ジェスチャー）
3. 視覚に訴える（プレゼン用ソフトの活用）
4. 視覚に訴える（目線・ジェスチャー）
5. ネステッド・ループ*
6. ドラマティックなストーリー
7. フィードバック

＊**ネステッド・ループ**（nested loop）
本書では、前に話した内容を一度振り返ってから、新しい内容を話すというテクニックのことをさす

図4-6 プレゼンテーションを成功させる7つの秘訣

手は初めて耳にする内容がほとんどである。したがって，聞き取りやすく，さらに飽きさせない工夫が求められる。

　たとえば，発表者の表情，ジェスチャー，あるいはパワーポイントの使用などにより，視覚的にメリハリをつけるとよい。話が冗長になりそうな時には，前に話した内容をもう一度振り返ってから次の新しい内容を話すという「ネステッド・ループ（nested loop）」を行うと聞き手の興味・関心を喚起できる。

　さらに，プレゼンテーションの展開については，最初から一本調子では，聞き手に何の印象も残さず終わってしまうが，疑問や提案を投げかけ，聞き手が納得できる展開を心掛けると，魅力的なプレゼンテーションになるだろう 図4-7 。加えて，最後にフィードバックを行い，内容の確認をすることも重要である。

　さて，学会発表あるいは研究発表を控え，緊張している読者もおられるだろう。どんなに準備万端整え十分な練習を積んでも，余裕をもって発表を行うことはなかなか難しいものであり，初めてならなおさらだろう。緊張したり，落ち着きを失ったりするのは，発表者が「見られている」と思うからである。「見る側」に視点を変えて，聞き手の表情や反応を観察してみよう。うまくできなくていい。観察しようと努めることが大切なのだ。そうするうちに会場の様子が見え，気持ちに余裕が生まれてくる。

　また，質疑応答時には，感情的にならず丁寧なやりとりを終始心掛ける。そして発表の最後に一番言いたかったこと，発表を聞いてくださったことへの感謝の気持ちを述べる。こうすることで発表が印象深くなり，好印象を与えられるだろう。

　発表は一足飛びに質の向上をめざせるほどたやすいことではない。経験を積み修正を加えながら上達するものである。臆さずに発表に挑んでほしい。

平坦な説明に終始する

メリハリをつけて説明する

図4-7 メリハリをつけるドラマティック・ストーリー

Step 4

26 ♥ プレゼンテーションの留意点と秘訣

参考文献

1) 岩田正美, 小林良二, 中谷陽明他(編):社会福祉研究法—現実世界に迫る14レッスン. 有斐閣, 2006
2) ウヴェ・フリック(著), 小田博志, 山本則子, 他(訳):質的研究入門〈人間の科学〉のための方法論. 春秋社, 2002
3) N・K・デンジン, Y・Sリンカン(編), 平山満義(監訳)他:質的研究ハンドブック1巻 質的研究のパラダイムと眺望. 北大路書房, 2006
4) 古谷野亘, 長田久雄(編著):実証研究の手引き 調査と実験の進め方・まとめ方. ワールドプランニング, 1992
5) 佐藤郁哉:ワードマップ フィールドワーク 増訂版—書を持って街へ出よう. 新曜社, 2006
6) 田垣正晋:これからはじめる医療・福祉の質的研究入門. 中央法規出版, 2008
7) 日本社会福祉学会(編):社会福祉学. 第54巻第4号, pp.120-145, 2014

あとがき

　本書は，看護・福祉・介護・保育・教育・医療など，対人援助サービスを主とする幅広い領域で活躍しようとする人々を対象とし，質的研究の基本を無理なく理解できるように編纂した。

　なお，本書の実践的裏づけとしては，2005〜2014 年に，筆者が行った「戦後日本のホームヘルプ事業史研究」における全国 100 人以上のインタビュー調査の経験がある。とくに，戦後日本のホームヘルプ事業の発祥地とされる長野県上田市への現地調査の回数は 30 数回に及んでいる。この過程で，自己の研究テーマ・内容をいかに理解していただくか，自分の知りたい内容をいかに聞き取るか，史実の裏側にあるエピソードや挿話をどのように引き出すかなど，試行錯誤の連続があり，徐々に確立されていった質的研究のスタイルに依るものでもあった。

　本書の内容構成については，大学院生時代の恩師である香川正弘先生，秋山智久先生，清水隆則先生からいただいたご助言に基づき，実践的・実用的なものを目ざした。

　なお，本書の刊行に関しては，（株）医学書院看護出版部の平田里枝子氏，木下和治氏，ならびに北原拓也氏に大変お世話になった。記して謝意を示したい。

　最後に，読者の皆さんが本書を手掛かりに，自らの学びをデザインする積極的な学習者として，また学びの支援者として，新たな学びの地平を切り拓いていかれることを心より祈念する次第である。

2015 年 7 月

中嶌　洋

索引

数字・欧文

4つのノート 104
FGI 60
GTA 75
　——における思考 78
　——の基本的な進め方 76
KH Coderによる分析 90, 92
KJ法 84
SLT 48, 49
Web検索 21

あ

厚い記述 102
一次資料 8
依頼状 39
インタビュー調査 36
　——の進め方 38
エスノグラフィー 53, 81
　——の流れ 82
エスノグラフィック・インタビュー 53
　——の進め方 55
演繹的な思考 76
オープン・コーディング 80
オープンエンドな質問 43

か

階層的クラスター分析 92
仮説検証型 2
仮説構築型 2
課題 99
カテゴリー 77, 88
カテゴリー化 77, 85
間隔尺度 15
観察ノート 104
観察法 50
キーワード 85
帰納的な思考 76
キャリーオーバー効果 43
共起ネットワーク 93
グラウンデッド・セオリー・アプローチ 75
グループ・インタビュー 60
クローズドエンドな質問 43
掲載不可 114
継続的比較分析 88
計量テキスト分析 90
結果 99
結論 100
研究テーマ 7, 22
　——の設定 5
研究レビュー 20
研究論文の進め方 106
効果的なインタビュー 42
考察 99
構造化インタビュー 46
構造敷設テクニック 48, 49
コーディング 77
コード 77, 85
個人ノート 104

さ

災害エスノグラフィー 83
査読 110
査読者
　——のコメント 113
　——の視点 112
査読のプロセス 111
サブカテゴリー化 85
サンプリング 32
参与観察 50
軸足コーディング 80
実証研究 2
実態解明型 2
実態検証型 2
質的研究 3
　——と量的研究の統合 72
　——の流れ 6
質的調査 14
質的データ 15, 16
　——の活用 17
順序尺度 15

焦点インタビュー　60
資料の選び方　10
資料の活用方法　11
信頼性　66
信頼性の三側面　68
先行研究分析　22
選択的コーディング　80
戦略的トライアンギュレーション　71

た
対応分析　94
タイトル　99
絶えざる比較法　88
多重質問　43
妥当性　66
ダブルバーレル質問　43
単一質問　43
定性的調査　14
定性的データ　15
定量的調査　15
定量的データ　15
データ分析　88
テキストマイニング　15, 90
投稿論文　108
トライアンギュレーション　70, 81

な
ナラティヴ・インタビュー　56
　——の進め方　58
ナラティヴ生成質問の例　57
ナラティヴの構造と展開　59
二次資料　8
ネステッド・ループ　117
ネットワーク標本抽出法　33

は
半構造化インタビュー　47
　——の質問例　48
半標準化インタビュー　49
ピア・チェック　78
非構造化インタビュー　47
非参与観察　51
閃き的思考　76
比例尺度　15

頻出語リスト　92
フォーカス・グループ・インタビュー　60
　——の質問例　61
プレゼンテーション　116
　——の秘訣　117
文献　100
文献検索　18
文献検討　20
文脈の検討　103
併用観察法　52
方法　99
方法論ノート　104
訪問調査　21

ま
無作為抽出法　32
名義尺度　15
メンバー・チェック　78
目的　99

や
有意抽出法　32
誘導質問　43
雪だるま式サンプリング　33
よい研究テーマ　7
よい質問　42
要約　99

ら
ライフヒストリー研究　56
量的調査　15
量的データ　15
理論研究　2
理論ノート　104
倫理　26
倫理的配慮　26, 99
レビュー論文　20
論文執筆　98
論文展開のコツ　100

わ
悪い研究テーマ　7
悪い質問　43

著者略歴

中嶌 洋 なかしま ひろし

1974 年	兵庫県に生まれる
2008 年	上智大学大学院総合人間科学研究科博士後期課程単位修得満期退学
2012 年	国際医療福祉大学大学院博士号（医療福祉学）取得
現在	帝京平成大学講師，高知県立大学准教授などを経て，現在，中京大学現代社会学部教授，中京大学社会科学研究所研究員，社会福祉士，精神保健福祉士．

専門

社会福祉学，社会事業史，質的研究法

主要著書・論文

日本における在宅介護福祉職形成史研究．みらい，2013

ホームヘルプ事業草創期を支えた人びと　思想・実践・哲学・生涯．久美，2014

シリーズ福祉に生きる　67　原崎秀司．大空社，2014

ホームヘルプ事業の黎明としての原崎秀司の欧米社会福祉視察研修（1953〜1954）．社会福祉学，第52巻第3号，日本社会福祉学会，2011

ホームヘルプ事業の先覚者における思想展開とハウスキーパー構想．社会福祉学，第53巻第4号，日本社会福祉学会，2013

全日本方面委員連盟書記としての原崎秀司が果たした役割．社会福祉学，第56巻第1号，日本社会福祉学会，2015

地域福祉・介護福祉の実践知．現代書館，2016